EX LIBRIS

KSIĘGA ÓSMA

# SZKODLIWY SZPITAL

Dotychczas w serii ukazały się:

Przykry początek

Gabinet gadów

Ogromne okno

Tartak tortur

Akademia antypatii

Winda widmo

Wredna wioska

Szkodliwy szpital

Krwiożerczy karnawał

*

W przygotowaniu:

Zjezdne zbocze

# SERIA NIEFORTUNNYCH ZDARZEŃ

KSIĘGA ÓSMA

# SZKODLIWY SZPITAL

Lemony Snicket



*Ilustrował Brett Helquist*

Tłumaczenie Jolanta Kozak

EGMONT

*

Tytuł serii: *A Series of Unfortunate Events*
Tytuł oryginału: *The Hostile Hospital*



First Edition, 2001 HarperCollins
Published by arrangement with HarperCollins Children's Books,
a division of HarperCollins Publishers, Inc.



Redakcja: Hanna Baltyn
Korekta: Anna Sidorek

Wydanie drugie, Warszawa 2004
Wydawnictwo Egmont Polska Sp. z o.o.,
ul. Dzielna 60, 01-029 Warszawa
tel. (0-22) 838 41 00
www.egmont.pl/ksiazki

ISBN: 83-237-1758-3

Opracowanie typograficzne i łamanie: SEPIA, Warszawa
Druk: Edica SA, Poznań

*

*Dla Beatrycze*

*Lato bez ciebie jest zimne jak zima.*

*Zima jest jeszcze zimniejsza.*

OSTATNIA SZANSA
SKLEP WIELOBRANŻOWY
OPEN

## *ROZDZIAŁ*
# Pierwszy

Są dwa powody, dla których autor kończy zdanie słowem „stop" pisanym samymi wielkimi literami STOP. Powód pierwszy: autor wysyła telegram, czyli zakodowaną wiadomość przekazywaną kablem elektrycznym STOP. W telegramie słowo „stop" pisane samymi wielkimi literami oznacza koniec zdania STOP. Powód drugi: autor kończy zdanie słowem „stop" pisanym samymi wielkimi literami, aby ostrzec czytelnika, że książka, którą ten wziął do ręki, jest tak przygnębiająca, że o ile czytelnik zaczął już ją czytać, powinien natychmiast dla własnego dobra przestać STOP. Niniejsza książka, dla przykładu, opisuje wyjątkowo nieszczęsny okres strasznego życia Wioletki, Klausa i Słoneczka Baudelaire'ów, więc o ile masz, czytelniku, choć trochę oleju w głowie, to zamkniesz ją natychmiast, wytaszczysz na sam szczyt wysokiej góry i strącisz z wierzchołka STOP. Nie ma na świecie powodu, dla którego miałbyś przeczytać choćby jedno jeszcze słowo o niedolach, zdradzieckich intrygach i łzach, które czekają niebawem trójkę Baudelaire'ów, tak samo jak nie ma powodu, dla którego miałbyś wybiec w tej chwili na ulicę i rzucić się pod koła autobusu STOP. To zdanie, zakończone „stop-em", jest dla ciebie ostatnią szansą uznania słowa STOP za znak ostrzegawczy i udaremnienia udręki, która cię czeka podczas lektury tej książki, ostatnią szansą udaremnienia zabójczego horroru, który zacznie się zaraz w następnym zdaniu. Wystarczy, że usłuchasz znaku STOP i zatrzymasz się STOP.

Sieroty Baudelaire zatrzymały się STOP. Był wczesny ranek, a trójka dzieci już od wielu godzin wędrowała przez płaskie, nieznane okolice. Były spragnione, zdezorientowane i wycieńczone, miały więc trzy dobre powody do zakończenia swej żmudnej wędrówki, lecz zarazem były przerażone, zdesperowane i niezbyt oddalone od ludzi, którzy chcieli wyrządzić im krzywdę, a to z kolei są trzy dobre powody do kontynuowania marszu. Sieroty już od paru godzin zaniechały rozmów, oszczędzając resztki energii na stawianie nogi przed nogą, lecz postanowiły w końcu zatrzymać się choćby na krótką chwilę, celem omówienia dalszych wspólnych działań.

Stały przed sklepem wielobranżowym Ostatnia Szansa – pierwszym budynkiem, który napotkały od chwili rozpoczęcia długiego, nerwowego, nocnego marszu. Fasadę sklepu zdobiły spłowiałe plakaty, reklamujące towary na sprzedaż. Nikły blask księżyca w drugiej fazie pozwolił Baudelaire'om zorientować się, że wewnątrz kupić można świeże limony, plastikowe noże, konserwy mięsne, białe koperty, cukierki o smaku mango, czerwone wino, skórzane portfele, żurnale mody, akwaria na złote rybki, śpiwory, suszone figi, pudła kartonowe, kontrowersyjne witaminy i wiele innych artykułów. Żaden z plakatów nie reklamował, niestety, pomocy, a właśnie tego towaru Baudelaire'owie potrzebowali teraz najbardziej.

– Proponuję wejść do środka – powiedziała Wioletka, wyjmując z kieszeni wstążkę, którą następnie związała sobie włosy. Wioletka, najstarsza z rodzeństwa Baudelaire, była najzdolniejszą chyba czternastoletnią wynalazczynią na świecie i zawsze wiązała włosy wstążką, gdy miała do rozwiązania jakiś problem, a w tej chwili właśnie usiłowała wynaleźć rozwiązanie największego problemu, z jakim ona sama i jej rodzeństwo mieli kiedykolwiek do czynienia. – Może znajdziemy tam kogoś, kto nam pomoże.

– A może znajdziemy tam kogoś, kto widział nasze zdjęcia w gazecie – powiedział Klaus, środkowy z rodzeństwa Baudelaire'ów, który niedawno obchodził trzynaste urodziny w obskurnej więziennej celi. Klaus miał wielki talent do zapamiętywania niemal co do słowa wszystkich książek, które przeczytał, a były ich tysiące.

Teraz nachmurzył się na wspomnienie pewnej fałszywej informacji o sobie, którą niedawno wyczytał w gazecie. – Jeżeli ten ktoś czyta „Dziennik Punctilio", to mógł uwierzyć w te straszne rzeczy, które tam o nas napisano. A w takim przypadku nie pomoże nam na pewno.

– Zgodzi! – powiedziało Słoneczko.

Słoneczko było niemowlęciem i, jak to niemowlęta, rozwijało się nierównomiernie. Miało, na przykład, tylko cztery zęby, ale za to mocne i ostre jak u lwa, i niedawno nauczyło się chodzić, ale za to wciąż miało kłopoty z mówieniem w sposób zrozumiały dla dorosłych. Na szczęście brat i siostra Słoneczka zrozumieli bez trudu, że komunikuje ono: „Przecież nie możemy tak iść i iść w nieskończoność". Wioletka i Klaus przyznali Słoneczku rację.

– Słoneczko ma rację – powiedziała Wioletka. – Sklep nazywa się Ostatnia Szansa. Sądząc z nazwy, to jedyny budynek w promieniu wielu mil, a więc dla nas jedyna okazja znalezienia jakiejkolwiek pomocy.

– O, patrzcie! – Klaus wskazał siostrom plakat reklamowy w górnej części budynku. – Można stąd nadać telegram. Może tą drogą uzyskamy pomoc.

– Do kogo niby mielibyśmy nadać telegram? – spytała Wioletka.

Wszyscy troje zastanawiali się przez dłuższą chwilę nad odpowiedzią. Jeżeli jesteś, czytelniku, podobny do większości ludzi, to masz grono przyjaciół i rodziny, do którego zawsze możesz się zwrócić w trudnej chwili. Jeśli, na przykład, budzisz się w nocy i widzisz zamaskowaną kobietę, usiłującą wedrzeć się przez okno do twojego pokoju, możesz zawołać tatę albo mamę, żeby pomogli ci ją wypchnąć z powrotem za okno. Jeśli zgubiłeś się doszczętnie w centrum obcego miasta, możesz poprosić policję o odwiezienie cię do domu. A jeśli jesteś pisarzem zatrzaśniętym we włoskiej restauracji, którą z wolna zalewa woda, to możesz zadzwonić do znajomych fachowców z branży ślusarskiej, makaronowej i gąbkowej, żeby przybyli ci na pomoc. Jednak co do sierot Baudelaire, to wszystkie ich kłopoty zaczęły się od wiadomości o śmierci rodziców w strasznym pożarze. Baudelaire'owie nie mogli więc zadzwonić po mamę i tatę. Nie mogli też zadzwonić na policję z prośbą o pomoc, gdyż policja uczestniczyła w nocnym pościgu za nimi, który nadal trwał. Nie mogli również zadzwonić do znajomych, gdyż większość znajomych i tak nie była w stanie im pomóc. Od śmierci rodziców Wioletka, Klaus i Słoneczko trafiali pod opiekę wciąż nowych osób. Niektórzy ich opiekunowie okazali się okrutni. Inni zostali zamordowani. A jednym z opiekunów był Hrabia Olaf, chciwy, zdradziecki łotr, przez którego właśnie sieroty Baudelaire stały oto zupełnie same w środku nocy przed sklepem wielobranżowym Ostatnia Szansa, zastanawiając się, kogo by tu wezwać na pomoc.

– Poe – powiedziało w końcu Słoneczko.

Miało na myśli pana Poe, bankiera cierpiącego na chroniczny kaszel, zajmującego się sprawami sierot Baudelaire od śmierci ich rodziców. Pan

Poe nigdy jeszcze właściwie im nie pomógł, ale nie był okrutny, nie został zamordowany ani nie był Hrabią Olafem, więc właściwie nic nie stało na przeszkodzie, żeby się z nim skontaktować.

– Może rzeczywiście spróbujmy się skontaktować z panem Poe – poparł siostrzyczkę Klaus. – Najwyżej powie nie.

– Albo zakaszle – dodała Wioletka z niewesołym uśmiechem.

Klaus i Słoneczko także się uśmiechnęli, po czym cała trójka pchnęła pordzewiałe drzwi sklepu i weszła do środka.

– Lou? To ty? – rozległ się głos, ale nie widać było, do kogo należał.

Wnętrze sklepu wielobranżowego Ostatnia Szansa było równie zatłoczone jak jego fasada. Nie było w nim ani kawałeczka przestrzeni wolnej od towarów na sprzedaż. Półki pełne szparagów w puszkach i wiecznych piór sąsiadowały ze skrzynkami cebuli i stojakami pełnymi pawich piór. Na ścianach wisiały garnki, rondle i patelnie, a na suficie żyrandole, podłoga zaś ułożona była z tysięcy rozmaitych kafelków, z których każdy miał nalepioną cenę.

– Przywiozłeś poranną prasę, Lou? – dopytywał się dalej ten sam głos.

– Nie – odpowiedziała Wioletka, kierując się wraz z rodzeństwem w stronę źródła głosu niewidocznej osoby.

Przestępując nad kartonami karmy dla kotów, z trudem dotarli do końca regału, tam jednak zablokowały im dalszą drogę porozpinane jedna za drugą rybackie sieci.

– Wcale się nie dziwię, Lou – ciągnął ten sam głos, a tymczasem rodzeństwo Baudelaire zawróciło drugą stroną regału, mijając rząd luster i stertę skarpetek, po czym weszło w alejkę donic z bluszczem i zapałek. – Przywykłem już do tego, że „Dziennik Punctilio" dociera do nas dopiero, kiedy przyjadą Wolontariusze Zwalczania Schorzeń.

Dzieci przestały na chwilę szukać źródła głosu i popatrzyły po sobie, myśląc o swoich przyjaciołach, Duncanie i Izadorze Bagiennych. Duncan i Izadora byli dwojgiem trojaczków, które, podobnie jak Baudelaire'owie, straciły rodziców, a także brata Quigleya, w strasznym pożarze. Bagienni już kilkakrotnie trafiali w łapy Hrabiego Olafa, ale niedawno znów udało im się uciec – niestety, Baudelaire'owie wcale nie byli pewni, czy jeszcze kiedyś zobaczą przyjaciół ani czy poznają sekret, który trojaczki Bagienne odkryły i odnotowały w swoich notesach. Sekret dotyczył inicjałów WZS, a jedyną wskazówką do jego rozszyfrowania było kilka luźnych kartek z notesów Duncana i Izadory, których to kartek sieroty Baudelaire nie zdążyły na dobrą sprawę jeszcze obejrzeć. Czyżby Wolontariusze Zwalczania Schorzeń byli rozwiązaniem, którego dzieci poszukiwały?

– My nie jesteśmy Lou! – krzyknęła Wioletka. – Jesteśmy trojgiem dzieci i chcemy nadać telegram!

– Telegram? – odkrzyknął głos, a w chwilę potem Baudelaire'owie skręcili za róg regału i wpadli niemal prosto na osobę, która do nich przemawiała. Był to mężczyzna bardzo niskiego wzrostu, niższy niż Wioletka, a nawet niż Klaus. Wyglądał, jakby od dość dawna nie spał ani się nie golił. Buty miał nie do pary, każdy z ceną na dyndającej etykietce, poza tym był ubrany w kilka koszul i kilka kapeluszy, jedne na drugich. Jednym słowem, wyglądał jak jeden wielki towar i gdyby nie miły uśmiech i brudne paznokcie, trudno byłoby go zauważyć w sklepie.

– No tak, widzę, że nie jesteście Lou – zażartował. – Lou jest dość tęgim mężczyzną, a wy jesteście trojgiem chudych dzieci. Co tu robicie o tak wczesnej porze? Okolica jest niebezpieczna, uważajcie. Podobno dzisiejszy „Dziennik Punctilio" ostrzega przed trojgiem morderców, którzy grasują w pobliżu. Tak słyszałem, osobiście jeszcze nie czytałem.

– Gazety nie zawsze dają rzetelny obraz sytuacji – zauważył nerwowo Klaus.

Sklepikarz zmarszczył brwi.

– Bzdura! – oburzył się. – „Dziennik Punctilio" nie wydrukowałby informacji niezgodnych z prawdą. Jeżeli prasa pisze, że ktoś jest mordercą, to jest, i koniec kropka. Podobno chcieliście nadać telegram?

– Owszem – powiedziała Wioletka. – Do pana Poe z Mecenatu Mnożenia Mamony, w centrum miasta.

– Wysłanie telegramu do centrum miasta słono kosztuje – oznajmił sprzedawca, a Baudelaire'owie popatrzyli po sobie z rozpaczą.

– Nie mamy przy sobie ani grosza – powiedział Klaus. – Jesteśmy sierotami, naszym majątkiem opiekuje się pan Poe. Prosimy pana!

– Sos! – pisnęło Słoneczko.

– Moja siostra chciała powiedzieć: „To sytuacja wyjątkowa" – wyjaśniła Wioletka. – I tak istotnie jest.

Sklepikarz chwilę im się przyglądał, po czym wzruszył ramionami i rzekł:

– No, skoro sytuacja jest wyjątkowa, to wam nie policzę. Nigdy nie biorę pieniędzy za rzeczy szczególnej wagi. Na przykład od Wolontariuszy Zwalczania Schorzeń nie biorę nic za benzynę, bo czynią takie wspaniałe dzieło.

– Jakie mianowicie? – zaciekawiła się Wioletka.

– Zwalczają schorzenia, jak sama nazwa wskazuje – odparł jej sprzedawca. – wuzetesowcy zajeżdżają tu do mnie codziennie w drodze do szpitala, gdzie zajmują się fachowo rozweselaniem pacjentów. Dlatego nie mam serca brać od nich pieniędzy, za nic.

– Dobry z pana człowiek – powiedział Klaus.

– Miło mi to słyszeć – odparł sprzedawca. – Aparat do nadawania telegramów stoi tam, koło porcelanowych kociąt, widzicie? Pomogę wam.

– Dziękujemy, poradzimy sobie – rzekła Wioletka. – Skonstruowałam kiedyś sama telegraf, miałam wtedy siedem lat, więc znam się na łączeniu obwodów elektrycznych.

– A ja przeczytałem kiedyś dwie książki o alfabecie Morse'a – dodał Klaus – więc potrafię przełożyć naszą wiadomość na system impulsów elekrycznych.

– Help! – pisnęło Słoneczko.

– Cóż za uzdolnione dzieci! – zachwycił się sklepikarz. – W takim razie zostawiam was samych.

Mam nadzieję, że ten pan Poe, czy jak mu tam, pomoże wam w waszej wyjątkowej sytuacji.

– Dziękujemy panu bardzo – powiedziała Wioletka. – Ja też mam taką nadzieję.

Sklepikarz pomachał dzieciom zdawkowo i zniknął za ekspozycją obieraków do jarzyn, a sieroty Baudelaire popatrzyły po sobie z wielkim podekscytowaniem.

– Wolontariusze Zwalczania Schorzeń? – szepnął Klaus do Wioletki. – Myślisz, że nareszcie trafiliśmy na prawdziwe WZS?

– Żak! – pisnęło Słoneczko.

– Jacques faktycznie wspominał, że pracuje jako wolontariusz – przypomniał sobie Klaus. – Szkoda, że nie mamy czasu zajrzeć w kartki z notesów Bagiennych. Mam je tutaj w kieszeni...

– Nie traćmy czasu – zarządziła Wioletka. – Najpierw trzeba wysłać telegram do pana Poe. Niedługo Lou przywiezie dzisiejszy numer „Dziennika Punctilio", a wtedy sklepikarz przestanie nas uważać za uzdolnione dzieci, bo uwierzy, że jesteśmy mordercami.

– Racja – przyznał Klaus. – Niech pan Poe wydostanie nas najpierw z tego zamieszania, a potem pomyślimy o innych rzeczach.

– Trośik – dodało Słoneczko, komunikując coś w sensie: „Chciałeś powiedzieć, o ile pan Poe wydostanie nas z tego zamieszania".

Klaus i Wioletka pokiwali na to smętnie głowami i cała trójka poszła obejrzeć urządzenie do nadawania telegramów.

Składało się ono z pokręteł, kabli i wielu tajemniczych metalowych elementów, których ja osobiście bałbym się dotknąć. Baudelaire'owie jednak zbliżyli się do telegrafu z pełnym zaufaniem.

– Jestem prawie pewna, że będziemy umieli się tym posłużyć – powiedziała Wioletka. – Wygląda dość prosto. Sprawdź, Klausie, czy uda ci się tymi dwoma prętami wystukać wiadomość alfabetem Morse'a, a ja tymczasem zamknę przewód elektryczny. Ty, Słoneczko, stój tutaj, załóż słuchawki i sprawdź, czy słychać transmitowany sygnał. Do dzieła.

Dzieci przystąpiły do dzieła, co w tym przypadku znaczy, że „zajęły wyznaczone miejsca wokół telegrafu”. Wioletka przestawiła pokrętło, Słoneczko założyło słuchawki, a Klaus przetarł szkła okularów, aby lepiej widzieć, co robi. Pokiwali do siebie głowami i Klaus, dyktując sobie głośno treść komunikatu, zaczął go wystukiwać kodem Morse'a.

– Do pana Poe w Mecenacie Mnożenia Mamony – recytował Klaus. – Od Wioletki, Klausa i Słoneczka Baudelaire STOP Proszę nie dawać wiary artykułom na nasz temat drukowanym w Dzienniku Punctilio STOP Hrabia Olaf nie umarł a myśmy go nie zamordowali STOP

– Arete? – spytało Słoneczko.

– STOP to kod końca zdania – wyjaśnił Klaus. – Co jeszcze mam napisać?

– Wkrótce po przybyciu do miejscowości WZS zostaliśmy poinformowani że Harbia Olaf jest aresztowany STOP – podyktowała bratu Wioletka. – Jednak aresztowany mężczyzna chociaż miał tatuaż na nodze i pojedynczą brew nie był Hrabią Olafem STOP Nazywał się Jacques Snicket STOP

– Nazajutrz znaleziono go zamordowanego a Hrabia Olaf pojawił się w WZS w towarzystwie swojej narzeczonej Esmeraldy Szpetnej STOP – kontynuował Klaus, wystukując wiadomość w szalonym tempie. – Realizując plan zagarnięcia naszej fortuny Hrabia Olaf przebrał się za detektywa i przekonał obywateli WZS, że jesteśmy mordercami STOP

– Ukner – podpowiedziało Słoneczko, a Klaus przetłumaczył tę wypowiedź na język dorosłych, po czym zakodował ją w alfabecie Morse'a: „Tymczasem odkryliśmy miejsce przetrzymywania trojaczków Bagiennych i pomogliśmy im uciec STOP Bagienni zdołali nam zostawić szczątki swoich notesów zawierające odpowiedź na pytanie co naprawdę znaczy WZS STOP

– Udało nam się uciec przed pościgiem obywateli WZS, którzy chcieli nas spalić na stosie za morderstwo, którego nie popełniliśmy STOP – dodała Wioletka, a Klaus błyskawicznie zakodował jej słowa, zanim zakończył komunikat dwoma własnymi zdaniami:

– Prosimy o natychmiastową odpowiedź STOP Grozi nam wielkie niebezpieczeństwo STOP

Wystukawszy ostatnie P w ostatnim STOP, Klaus podniósł oczy na siostry.

– Grozi nam wielkie niebezpieczeństwo – powtórzył, ale już nie wystukał tego zdania na telegrafie.

– To już było – przypomniała mu Wioletka.

– Wiem – odparł cicho Klaus. – To nie jest dalszy ciąg telegramu. To moja osobista wypowiedź. Grozi nam wielkie niebezpieczeństwo. Sam nie zdawałem sobie sprawy z tego, jak wielkie, dopóki nie wystukałem tego zdania w telegramie.

– Ilimi – pisnęło Słoneczko i zdjęło słuchawki, aby przytulić główkę do ramienia brata.

– Ja też się boję – przyznała Wioletka, poklepując siostrzyczkę po pleckach. – Ale jestem pewna, że pan Poe nam pomoże. Nie może przecież spodziewać się, że sami poradzimy sobie z tym problemem.

– A jednak wszystkie poprzednie problemy rozwiązaliśmy sami – przypomniał jej Klaus. – Od dnia pożaru pan Poe nie zrobił dla nas nic poza umieszczaniem nas w coraz to gorszych domach zastępczych.

– Tym razem nam pomoże – powtórzyła z uporem Wioletka, chociaż głos jej trochę zadrżał. – Obserwujmy telegraf. Lada chwila powinna przyjść odpowiedź od pana Poe.

– A jeśli nie przyjdzie? – spytał Klaus.

– Cionek – mruknęło Słoneczko i przysunęło się do starszego rodzeństwa. Mówiąc „Cionek", Słoneczko komunikowało coś w sensie: „To wtedy zostaniemy sami jak palec". Zdanie to może dziwić w ustach kogoś, kto ma przy sobie brata i siostrę, a wokół siebie sklep tak pełen towarów, że trudno się w nim ruszyć. Ale Baudelaire'om, zbitym w gromadkę przy telegrafie, wypowiedź Słoneczka wcale nie wydała się dziwna. Każdą z sierot Baudelaire otaczały nylonowe liny, pasty do podłóg, miski, firany, drewniane konie na biegunach, cylindry, kable światłowodowe, różowe szminki, suszone morele, szkła powiększające, czarne parasole, cienkie pędzelki, waltornie, a także pozostali członkowie rodzeństwa, a jednak gdy tak siedziały i czekały na telegraficzną odpowiedź, każda z sierot Baudelaire czuła się sama jak palec.

ROZDZIAŁ

# Drugi

Ze wszystkich głupich wyrażeń stosowanych potocznie przez ludzi najgłupsze jest wyrażenie „żadna wiadomość to dobra wiadomość". Wyrażenie „żadna wiadomość to dobra wiadomość" oznacza po prostu, że jeżeli ktoś nie daje znaku życia, to na pewno wszystko jest u niego w porządku. Gołym okiem widać jednak, dlaczego wyrażenie „żadna wiadomość to dobra wiadomość" jest dalekie od prawdy: przecież to, że wszystko jest u kogoś w porządku, jest tylko jednym z wielu możliwych powodów zaniechania przez daną osobę kontaktu z otoczeniem. Może dana osoba jest skrępowana sznurem. Może osaczyły ją wściekłe łasice, albo zaklinowała się między dwiema lodówkami i nie może się wydostać. Cytowane na wstępie rozdziału wyrażenie można więc równie dobrze zamienić na slogan: „żadna wiadomość to zła wiadomość” – co zresztą też nie zawsze byłoby prawdą, bo ktoś może nie kontaktować się z nami, gdyż został właśnie koronowany na króla albo uczestniczy w zawodach gimnastycznych. Tak czy owak, chodzi o to, że nigdy nie wiadomo, dlaczego dana osoba nie daje znaku życia – wiadomo to dopiero, gdy ta osoba odezwie się i wyjaśni przyczynę milczenia. Dlatego jedynym sensownym wyrażeniem byłoby: „żadna wiadomość to żadna wiadomość” – co jest jednak stwierdzeniem tak oczywistym, że w ogóle trudno je uznać za sensowne wyrażenie.

Chociaż tak oczywiste, było to jedyne właściwe określenie sytuacji Baudelaire’ów, którzy wysłali rozpaczliwy telegram do pana Poe, a teraz, od kilku godzin, siedzieli wpatrzeni w telegraf, oczekując odpowiedzi bankiera. Godziny mijały, sieroty Baudelaire posypiały na zmianę oparte o sterty artykułów sklepu wielobranżowego Ostatnia Szansa, ale nie traciły nadziei, że odpowiedź od człowieka odpowiedzialnego za ich bezpieczeństwo w końcu nadejdzie. Niestety, jedyna wiadomość, jaką otrzymały, gdy pierwsze promienie słońca wpadły do sklepu przez okno wystawowe, oświetlając wszystkie etykietki z cenami towarów, pochodziła od sklepikarza, który oznajmił im, że właśnie upiekł babeczki z żurawinami.

– Właśnie upiekłem babeczki z żurawinami, są jeszcze ciepłe – oświadczył sklepikarz, wyzierając ku dzieciom zza wysokiej piramidy przetaków do przesiewania mąki. Na każdej ręce miał co najmniej dwie rękawice kuchenne, a babeczki niósł piętrowo, na stercie różnokolorowych tac. – Normalnie wystawiam je na sprzedaż, między płytami gramofonowymi a grabiami, ale żal mi was, że jesteście bez śniadania, gdy w okolicy grasują niebezpieczni mordercy, więc poczęstujcie się, proszę, za darmo.

– To bardzo uprzejmie z pana strony – podziękowała Wioletka, po czym wszyscy troje sięgnęli po ułożone na tacy babeczki.

Ponieważ Baudelaire'owie nie jedli nic od chwili opuszczenia WZS, uporali się z babeczkami w trymiga – co tutaj znaczy: „zjedli ciepłe, słodkie babeczki co do okruszka".

– Ależ musieliście być głodni! – zdumiał się sklepikarz. – Jak poszło z telegramem, wszystko dobrze? Otrzymaliście odpowiedź?

– Jeszcze nie – odparł Klaus.

– Ach, co tam, niech was o to główki nie bolą – powiedział sklepikarz. – Pamiętajcie, że żadna wiadomość to dobra wiadomość.

– Żadna wiadomość to dobra wiadomość? – krzyknął ktoś z głębi sklepu. – A ja mam dla ciebie wiadomość, Milton! Cały numer o mordercach!

– Lou! – rozradował się sklepikarz. – Przepraszam – rzekł do dzieci. – Lou przywiózł prasę.

Sklepikarz zniknął między dywanami zawieszonymi u sufitu. Baudelaire'owie spojrzeli po sobie ze zgrozą.

– Co robimy? – spytał szeptem Klaus. – Skoro przywieźli gazety, to sklepikarz zaraz przeczyta, że jesteśmy mordercami. Lepiej uciekajmy!

– Jeżeli uciekniemy – zauważyła przytomnie Wioletka – to pan Poe nie będzie mógł się z nami skontaktować.

– Gikri! – pisnęło Słoneczko, komunikując: „Miał całą noc na skontaktowanie się z nami, a nie zrobił tego".

– Lou? – rozległ się głos sklepikarza. – Gdzie ty jesteś, Lou?

– Tu jestem, koło młynków do pieprzu! – odkrzyknął kolporter gazet. – Mówię ci, co za historia! Przeczytasz sobie, o tej trójce, co zamordowała hrabiego. Są zdjęcia i w ogóle. Spotkałem po drodze patrol policji, mówili, że już są na tropie, otoczyli teren. Nikogo tu nie wpuszczają, tylko mnie i wolontariuszy. Złapią smarkaczy i wsadzą do pudła, jak nic.

– Smarkaczy? – zdziwił się sklepikarz. – Mordercami są dzieciaki?

– No właśnie! – odparł kolporter. – Sam zobacz.

Sieroty Baudelaire popatrzyły po sobie. Słoneczko pisnęło ze strachu. Szelest rozkładanej gazety rozległ się na cały sklep, a potem odezwał się pełen emocji głos sklepikarza:

– Ja znam te dzieciaki! Są w moim sklepie! Przed chwilą dałem im babeczki!

– Karmisz morderców babeczkami? – zgorszył się Lou. – Kto to widział, Milton? Przestępców należy karać, a nie karmić słodyczami!

– Nie wiedziałem, że to mordercy! – krzyknął z rozpaczą sklepikarz. – Ale teraz już wiem. O, tu jest napisane, w „Dzienniku Punctilio". Dzwoń na policję, Lou! A ja złapię tych morderców i przypilnuję, żeby nie uciekli!

Baudelaire'owie, nie tracąc ani chwili, puścili się biegiem pasażem agrafek i lizaków w stronę przeciwną tej, z której dobiegały męskie głosy.

– Kierujmy się na gliniane popielniczki – zarządziła szeptem Wioletka. – Tam chyba jest wyjście.

– A co za wyjściem? – odszepnął Klaus. – Kolporter mówił, że policja otoczyła teren.

– Mulik! – pisnęło donośnie Słoneczko, komunikując: „Omówicie to sobie kiedy indziej!”.

– Psiakrew! – dobiegł ich zdumiony głos sklepikarza. – Lou, nie ma tych dzieciaków! Uważaj, rozglądaj się za nimi!

– Jak wyglądają? – odkrzyknął kolporter.

– Jak troje niewinnych dzieci – odpowiedział mu sklepikarz. – Ale to niebezpieczni mordercy! Uważaj!

Dzieci minęły następny róg regału i puściły się w nowy pasaż, między papierem pakowym a groszkiem w puszkach. Usłyszały szybki tupot stóp kolportera, który wołał:

– Poddajcie się, mordercy! Ucieczka nie ma sensu!

– Nie jesteśmy mordercami! – krzyknęła oburzona Wioletka.

– Jasne, że jesteście! – wrzasnął sklepikarz. – Było o was w gazecie!

– A poza tym – krzyknął szyderczo kolporter – jak nie jesteście mordercami, to czemu się chowacie i uciekacie?

Wioletka chciała na to odpowiedzieć, ale Klaus zakrył jej usta, zanim zdążyła przemówić.

– Po głosie poznają, gdzie jesteśmy – szepnął. – Niech sobie wrzeszczą, a nam może uda się uciec.

– Widzisz ich, Lou? – krzyknął sklepikarz.

– Nie, ale nie mogą się chować w nieskończoność – odkrzyknął kolporter. – Sprawdzę przy podkoszulkach!

Baudelaire'owie spojrzeli przed siebie: piętrzyła się tam góra przecenionych białych podkoszulków. Dzieci zdębiały, ale zaraz zrobiły w tył zwrot i pognały pasażem tykających zegarów.

– Ja zobaczę w zegarach! – zawołał sklepikarz. – Nie mogą się chować w nieskończoność!

Dzieci dobiegły do końca pasażu zegarów, sprintem minęły stertę wieszaków na ręczniki i świnek-skarbonek i wzięły zakręt przy dziale tradycyjnych spódnic w kratę. Wreszcie, ponad regałem wypełnionym bez reszty kapciami domowymi, Wioletka dostrzegła znak WYJŚCIE, który w milczeniu wskazała rodzeństwu.

– Na pewno są w kiełbasach! – krzyknął sklepikarz.

– Na pewno są przy armaturach łazienkowych! – krzyknął kolporter.

– Nie mogą się chować w nieskończoność! – krzyknął sklepikarz.

Baudelaire'owie zaczerpnęli głęboko tchu i dali nura ku wyjściu ze sklepu wielobranżowego Ostatnia Szansa. Ledwie jednak znaleźli się za drzwiami, zrozumieli, że sklepikarz miał rację. Słońce właśnie wschodziło i widać było płaski, smętny krajobraz, który dzieci przewędrowały minionej nocy.

Niebawem w całej okolicy zrobi się jasno, a dzieci będzie widać z daleka, nawet z bardzo daleka. Nie mogą chować się w nieskończoność – stojąc przed sklepem wielobranżowym Ostatnia Szansa, Wioletka, Klaus i Słoneczko mieli wrażenie, że ta nieskończoność to jedna chwilka, która właśnie się kończy.

– Patrzcie tam! – Klaus wyciągnął rękę w kierunku wschodzącego słońca.

Nieopodal sklepu wielobranżowego Ostatnia Szansa parkowała kanciasta, szara furgonetka. Na burcie miała litery WZS.

– To Wolontariusze Zwalczania Schorzeń – domyśliła się Wioletka. – Kolporter mówił, że policja przepuściła tylko jego i wolontariuszy.

– W takim razie tylko przy nich możemy się schować – powiedział Klaus. – Jeżeli uda nam się wślizgnąć do tej furgonetki, wymkniemy się policji, przynajmniej na razie.

– Przecież to może być prawdziwe WZS! – zlękła się Wioletka. – Jeżeli ci wolontariusze mają związek ze strasznym sekretem, który nam próbowali zdradzić Bagienni, to wpadniemy z deszczu pod rynnę.

– Albo – zauważył Klaus – zbliżymy się do rozwiązania tajemnicy Jacques'a Snicketa. Pamiętasz, mówił przecież przed śmiercią, że jest wolontariuszem?

– Co nam po rozwiązaniu tajemnicy Snicketa, kiedy wylądujemy z nią w więzieniu? – argumentowała Wioletka.

– Blusin – stwierdziło Słoneczko, komunikując coś w sensie: „Nie mamy wielkiego wyboru". To rzekłszy, Słoneczko drobnym kroczkiem ruszyło w stronę furgonetki, a za Słoneczkiem Wioletka i Klaus.

– Ale jak się tam dostaniemy? – spytała Wioletka, doganiając siostrzyczkę.

– I co powiemy wolontariuszom? – spytał Klaus, doganiając obie siostry.

– Impro – poradziło Słoneczko, komunikując: „Coś się zawsze wymyśli".

Okazało się jednak, że tym razem sieroty Baudelaire wcale nie muszą nic wymyślać. Gdy zbliżały się do auta, z szoferki wychylił się sympatyczny, brodaty pan z gitarą i krzyknął do nich:

– Hej! Mało brakowało, a zostawilibyśmy was tutaj, bracie i siostry! Tankujemy za darmo i zaraz jedziemy do szpitala! – Z uśmiechem otworzył tylne drzwi furgonetki i pomachał na dzieci. – Wskakujcie! Chcemy mieć wszystkich wolontariuszy w komplecie przed końcem pierwszej zwrotki! Podobno w okolicy grasują jacyś mordercy.

– Czytał pan w gazecie? – zaniepokoił się Klaus.

Brodacz zaśmiał się i brzdąknął wesoły akord na gitarze.

– Skąd! – powiedział. – My nie czytujemy gazet. Prasa jest za smutna. Nasze motto brzmi: „Żadna wiadomość to dobra wiadomość". Widać, że nowi z was wolontariusze, skoro nawet tego nie wiecie. No, wskakujcie!

Baudelaire'owie jeszcze się wahali. Sami na pewno wiecie, że nie zawsze jest to najlepszy pomysł wsiadać do samochodu z kimś, kogo się nie zna, szczególnie jeśli ten ktoś wierzy w takie bzdury jak „żadna wiadomość to dobra wiadomość". Ale na pewno zawsze gorszym pomysłem jest stać na płaskim, pustym terenie, otoczonym przez policję, która chce nas aresztować za zbrodnię, której nie popełniliśmy. Sieroty Baudelaire wahały się więc między realizacją pomysłu, który często nie jest najlepszy, a realizacją pomysłu, który zawsze jest znacznie gorszy. Popatrzyły na brodacza z gitarą. Popatrzyły po sobic. A potem popatrzyły na sklep wielobranżowy Ostatnia Szansa, z którego właśnie wybiegał sklepikarz, i to prosto na furgonetkę.

– Dobrze – zdecydowała Wioletka. – Wsiadamy.

Brodacz z gitarą uśmiechnął się, dzieci wsiadły do furgonetki WZS, a brodacz zamknął za nimi drzwi. Baudelaire'owie nie „wskoczyli" do furgonetki, chociaż brodaty pan zachęcał ich do tego, gdyż wszelkie skakanie wiąże się z przyjemnymi chwilami w życiu. Hydraulik, na przykład, może podskoczyć, kiedy zdoła usunąć wyjątkowo kłopotliwy przeciek w czyimś prysznicu. Rzeźbiarka, dajmy na to, może podskoczyć po ukończeniu pracochłonnego pomnika czterech jamników grających w pokera. A ja podskoczyłbym jak nikt dotąd, gdybym mógł jakimś cudem cofnąć się do owego feralnego czwartku i powstrzymać Beatrycze przed udaniem się na popołudniową herbatkę, na której poznała Esmeraldę Szpetną.

Wioletce, Klausowi i Słoneczku nie chciało się skakać, bo nie byli ani hydraulikami usuwającymi przecieki, ani rzeźbiarkami kończącymi wiekopomne dzieła, ani pisarzami w magiczny sposób wywabiającymi z przeszłości niefortunne zdarzenia. Byli trojgiem zdesperowanych dzieci, niesłusznie oskarżonych o morderstwo i zmuszonych do ucieczki ze sklepu do obcej furgonetki, aby uniknąć aresztowania przez policję. Sierotom Baudelaire nie chciało się skakać, nawet kiedy kierowca furgonetki uruchomił silnik i ruszył spod sklepu wielobranżowego Ostatnia Szansa, nie zważając na rozpaczliwe gesty sklepikarza, który biegł, by zatrzymać pojazd. Odjeżdżając furgonetką WZS w płaski krajobraz, sieroty Baudelaire wcale nie były pewne, czy jeszcze kiedykolwiek zechce im się skakać.

R O Z D Z I A Ł

# Trzeci

*My Wolontariusze Zwalczania Schorzeń*
*Weselim się zawsze i wszędzie*
*A kto o nas powie, że smutki nam w głowie*
*Ten w wielkim będzie błędzie.*

*My chorych co dzień odwiedzamy*
*I troski ich precz odganiamy*
*Czy krew z nosa kapie, czy katar kto złapie*
*Fachowo my go rozśmieszamy.*

*I tralala, i hopsasa!*
*Bądź wesół i zdrów jak konik!*
*I hihihi, i hahaha!*
*Dla ciebie serduszko-balonik!*

*Chodzimy do chorych w szpitalach*
*I radość wzniecamy na salach*
*Choć pacjent na stół i rżną go na pół*
*Nasz śmiech dobry nastrój ocala!*

*Śpiewamy wesoło od rana do nocy*
*A potem od nocy do rana*
*Śpiewamy dziewczynkom, co struły się szynką*
*I chłopcom, co stłukli kolana.*

*I tralala, i hopsasa!*
*Bądź wesół i zdrów jak konik!*
*I hihihi, i hahaha!*
*Dla ciebie serduszko-balonik!*

*Śpiewamy niewiastom cierpiącym na świnkę*
*I panom wirusem nękanym*

*A jeśli się zdarzy, że łykniesz zarazy*
*I tobie my też zaśpiewamy.*

*I tralala, i hopsasa!*
*Bądź wesół i zdrów jak konik!*
*I hihihi, i hahaha!*
*Dla ciebie serduszko-balonik!*

Mój wspólnik, niejaki William Congreve, napisał kiedyś bardzo smutną sztukę, której pierwszy wers brzmi: „Czary muzyki koją dzikie serce". Oznacza to, że osobnik zdenerwowany lub strapiony, słuchając muzyki, uspokoi się i rozweseli. Tak jak ja w tej chwili: kucam za ołtarzem katedry pod wezwaniem Mniemanej Dziewicy, a przyjaciel mój gra na organach sonatę, aby mnie uspokoić i aby odgłos mojej maszyny do pisania nie dobiegł uszu wiernych, którzy siedzą w ławkach. Żałobne tony sonaty przywodzą mi na myśl melodię, którą zawsze nucił mój ojciec przy zmywaniu naczyń, i dzięki temu mogę chwilowo zapomnieć o kilku nękających mnie obecnie kłopotach.

Łagodzący wpływ muzyki na wzburzone serce zależy jednak od rodzaju muzyki, której się słucha. Z przykrością stwierdzam, że słuchając hymnu WZS sieroty Baudelaire w najmniejszym nawet stopniu nie wyzbyły się zdenerwowania i strapienia. Wsiadając do furgonetki WZS, Wioletka, Klaus i Słoneczko byli tak zdenerwowani możliwością pojmania, że właściwie nie dostrzegali swego otoczenia aż do chwili, gdy furgonetka ujechała spory kawał od sklepu wielobranżowego Ostatnia Szansa. Dopiero gdy sklepikarz zmalał do małej kropki w płaskim, pustym krajobrazie, dzieci zwróciły uwagę na wnętrze swojej nowej kryjówki. Znajdowało się tam około dwudziestu osób i wszystkie te osoby były nadzwyczajnie wesołe. Furgonetką jechali weseli panowie, wesołe panie, garstka wesołych dzieci i bardzo wesoły kierowca, który od czasu do czasu odwracał się od drogi i częstował pasażerów wesołym uśmiechem. Baudelaire'owie zawsze jak dotąd mieli zwyczaj podczas dłuższej przejażdżki samochodowej oddawać się lekturze, wyglądaniu przez okno lub rozmyślaniom na tematy osobiste, tym razem jednak, ledwie furgonetka ruszyła spod sklepu, brodacz brzęknął w struny gitary i zaintonował wesołą pieśń, którą ochoczo podchwycili wszyscy Wolontariusze Zwalczania Schorzeń. Każde kolejne „tralala” wprawiało Baudelaire'ów w coraz większe zdenerwowanie. Kiedy wolontariusze dotarli do linijki o krwi z nosa, sieroty Baudelaire były pewne, że ktoś nagle przerwie śpiew i zakrzyknie: „Chwileczkę! Tych dzieci przedtem nie było w furgonetce! Niech się stąd wynoszą!”. Gdy zaczęli śpiewać linijkę o rżnięciu pacjenta na pół, dzieci były pewne, że ktoś przerwie śpiew i zawoła: „Chwileczkę! Te dzieci nie znają słów piosenki! Niech się stąd wynoszą!”. A gdy weseli pasażerowie odśpiewali zwrotkę o łykaniu zarazy, Baudelaire'owie nabrali już niezłomnej pewności, że ktoś przerwie śpiew i zakrzyknie: „Chwileczkę! Te dzieci to są przecież mordercy opisani w „Dzienniku Punctilio”! Niech się stąd wynoszą!”.

Jednak Wolontariuszom Zwalczania Schorzeń było zbyt wesoło, aby mieli czemukolwiek poświęcić chwileczkę. Tak silnie ufali w słuszność powiedzenia, że żadna wiadomość to dobra wiadomość, że żaden i żadna z nich nie spojrzeli nawet na „Dziennik Punctilio". I tak byli zajęci śpiewaniem, że nawet nie zauważyli obecności Baudelaire'ów w furgonetce.

– Kurczę, ale mi się podoba ta piosenka – zawołał brodacz, gdy chór odśpiewał ostatni refren. – Mógłbym ją śpiewać do samego szpitala. Myślę jednak, bracia i siostry, że powinniśmy oszczędzać gardła, żeby dobrze pracować. Co byście powiedzieli na krótką, przyjemną rozmówkę?

– Fantastyczny pomysł! Super duper! – zachwycił się jeden z wolontariuszy, a reszta solidarnie pokiwała głowami. Brodacz odstawił gitarę i przysiadł się do Baudelaire'ów.

– Zmieńmy sobie lepiej imiona – szepnęła Wioletka do Klausa – żeby nikt nie zorientował się, kim jesteśmy.

– Przecież w „Dzienniku Punctilio" podano nasze imiona nieprawidłowo – odszepnął Klaus. – Może właśnie bezpieczniej będzie używać własnych imion.

– Najwyższy czas się poznać – oświadczył wesoło brodaty pan. – Lubię znać wszystkich swoich ochotników.

– Na imię mam Sally – powiedziała Wioletka – a to...

– Nie, nie! – przerwał jej brodacz. – My wuzetesowcy nie używamy imion. Do każdego mówimy „bracie" lub „siostro", gdyż wierzymy, że wszyscy ludzie są braćmi i siostrami.

– Przepraszam, nie rozumiem – powiedział Klaus. – Zawsze myślałem, że bracia i siostry to osoby posiadające wspólnych rodziców.

– Nie zawsze, bracie – odpowiedział brodacz. – Niekiedy braćmi i siostrami są ludzie, którzy zjednoczyli się w jakimś wspólnym celu.

– Czy to znaczy, bracie – spytała Wioletka, wypróbowując nowe użycie słowa „brat", co nie sprawiło jej specjalnej przyjemności – czy to znaczy, że nie znasz, bracie, imion i nazwisk osób jadących tą furgonetką?

– Zgadłaś, siostro – odparł brodacz.

– Czy zatem nigdy nie znałeś imienia i nazwiska żadnego Wolontariusza Zwalczania Schorzeń? – upewnił się Klaus.

– Ani jednego – potwierdził brodacz. – A czemu pytasz?

– Bo poznaliśmy pewną osobę – rzekła ostrożnie Wioletka – która prawdopodobnie należała do WZS. Był to mężczyzna, miał pojedynczą brew i tatuaż z okiem na kostce nogi.

Brodacz zmarszczył czoło w namyśle.

– Nie przypominam sobie nikogo, kto odpowiadałby temu opisowi – powiedział – a należę do organizacji Wolontariuszy Zwalczania Schorzeń od dnia jej powstania.

– Owmorde! – powiedziało Słoneczko.

– Moja siostra chciała powiedzieć, że jesteśmy rozczarowani – przetłumaczył Klaus. – Mieliśmy nadzieję uzyskać więcej informacji o tej osobie.

– A jestcście pewni, że był to ktoś z Wolontariuszy Zwalczania Schorzeń? – spytał brodacz.

– Nie, nie jesteśmy – przyznał Klaus. – Wiemy tylko, że był wolontariuszem, ale nie wiemy czego.

– Pełno jest rozmaitych wolontariuszy – odparł brodacz. – Najlepiej by było, żebyście to sprawdzili w Archiwum.

– W Archiwum? – powtórzyła Wioletka.

– Archiwum to miejsce przechowywania urzędowych informacji – wyjaśnił brodacz. – W Archiwum znaleźć można listy wszystkich wolontariatów na świecie. Możecie też poszukać pod nazwiskiem tej osoby i sprawdzić, czy istnieją jej akta. Może tym sposobem dojdziecie do tego, gdzie ta osoba pracowała.

– Albo skąd znała naszych rodziców – uzupełnił Klaus, mimo woli odzywając się głośno.

– Waszych rodziców? – powtórzył brodacz, rozglądając się po furgonetce. – To wasi rodzice też tu są?

Sieroty Baudelaire spojrzały po sobie z wielkim żalem: byłoby wspaniale, gdyby ich rodzice także jechali furgonetką WZS, chociaż trochę dziwnie byłoby im zwracać się do ojca „bracie", a do matki „siostro".

Chwilami dzieciom zdawało się, że setki lat minęły od owego strasznego dnia, w którym pan Poe przyniósł im na plażę tragiczną wiadomość – chociaż równie często miały wrażenie, że minęło od tego czasu raptem parę chwil. Wioletce nagle stanął przed oczami ojciec, zupełnie jakby przy niej siedział i pokazywał coś ciekawego przez okno. Klausowi stanęła przed oczami matka, zupełnie jakby tu była i śmiała się do rozpuku z głupiej piosenki WZS. A Słoneczku stanęła przed oczami cała piątka Baudelaire'ów, znowu razem, i nikt już nie uciekał przed policją, nie był oskarżony o morderstwo, nie usiłował desperacko rozwiązywać sekretów ani – to zwłaszcza – nie ginął w strasznym pożarze. Jednak fakt, że coś staje nam przed oczami, nie oznacza pojawienia się tego czegoś w rzeczywistości. Rodziców Baudelaire nie było w furgonetce, toteż dzieci popatrzyły na brodatego pana i smutno pokręciły głowami.

– Ależ macie smutne miny! – zmartwił się brodacz. – No, nie martwcie się. Jestem pewien, że wasi rodzice, gdziekolwiek teraz przebywają, bawią się świetnie, więc głowy do góry. Wesołość to podstawa i cel istnienia Wolontariuszy Zwalczania Schorzeń.

– Co właściwie będziemy robić w szpitalu? – spytała Wioletka, chcąc jak najszybciej zmienić temat.

– Dokładnie to, o czym mówi nazwa organizacji – odparł brodacz. Jesteśmy Wolontariuszami Zwalczania Schorzeń, więc będziemy zwalczać choroby.

– Mam nadzieję, że nie chodzi o robienie zastrzyków – zaniepokoił się Klaus. – Denerwuję się na widok strzykawki.

– Oczywiście, że nie będziemy robili zastrzyków – uspokoił go brodacz. – My robimy tylko rzeczy wesołe. Głównie przechadzamy się po szpitalnych korytarzach i śpiewamy chorym, oraz wręczamy im balony w kształcie serc. Dokładnie tak jak w naszej piosence.

– I to jest sposób na zwalczanie schorzeń? – zdziwiła się Wioletka.

– Oczywiście, ponieważ wesoły balonik podsuwa pacjentowi obraz polepszenia zdrowia, a wystarczy coś sobie wyobrazić, aby stało się to faktem – wyjaśnił brodacz. – Udowodniono już dawno, że dobry humor to najskuteczniejsze narzędzie zwalczania chorób.

– A ja myślałem, że antybiotyki – powiedział Klaus.

– Echinacea! – dorzuciło Słoneczko, komunikując: „Albo inne środki homeopatyczne".

Brodacz nie zwracał już jednak uwagi na dzieci, bo patrzył przez okno.

– Jesteśmy na miejscu, drodzy wolontariusze! – zakrzyknął gromko. – Przed nami Szpital Schnitzel!

Odwrócił się do dzieci i wskazał ręką obiekt na horyzoncie.

– Czy to nie piękna budowla?

Dzieci wyjrzały przez okno furgonetki i przyznały brodaczowi rację tylko do połowy, gdyż

Szpital Schnitzel był zaledwie połową budynku, no, najwyżej dwiema trzecimi. Prawa jego strona była lśniącą, białą konstrukcją, z wysoką kolumnadą i portretami słynnych doktorów nad każdym oknem. Przed wejściem do niej rozciągał się wzorowo skoszony trawnik, ozdobiony tu i ówdzie barwnymi kępami dzikich kwiatów. Za to lewą stronę szpitala trudno było w ogóle nazwać konstrukcją, a tym bardziej piękną. Był to barak ze zbitych byle jak desek, z paroma zaledwie deskami na podłodze, bez ścian i okien – przypominał właściwie rusztowanie szpitala, a nie gotowy szpital. Nie było przy nim ani śladu kolumnady, a na jedynej częściowo ukończonej ścianie elewacji nie widniał ani jeden portret słynnego lekarza, tylko kilka plastikowych płacht powiewało na wietrze, a zamiast trawnika przed wejściem rozciągało się czarne klepisko. Wyglądało to tak, jakby architekt nadzorujący budowę w połowie roboty doszedł do wniosku, że woli pojechać sobie na piknik, po czym już nigdy więcej nie wrócił. Kierowca zaparkował furgonetkę WZS pod szyldem, który był również na wpół ukończony: słowo SCHNITZEL znaczyło się ozdobnymi, złotymi literami na nieskazitelnie białej desce, ale słowo SZPITAL nagryzmolone było długopisem na kartonie ze starego pudła.

– Na pewno kiedyś skończą to budować – powiedział brodacz. – Na razie możemy wyobrazić sobie drugą połowę, a wyobraźnia, jak wiadomo, kształtuje rzeczywistość. A teraz wyobraźmy sobie wszyscy, że wysiadamy z furgonetki.

Sieroty Baudelaire wcale nie musiały sobie tego wyobrażać, tylko zwyczajnie wysiadły z wozu w ślad za resztą wolontariuszy, prosto na trawnik przed ładniejszą połową szpitala. Wolontariusze Zwalczania Schorzeń prostowali ręce i nogi po długiej jeździe, a niektórzy już pomagali brodaczowi wyciągnąć z furgonetki wielki pęk baloników w kształcie serc. Tylko Baudelaire'owie stali z boku, nie wiedząc, co robić.

– Mamy tam wejść? – spytała Wioletka. – Jeżeli zaczniemy przechadzać się po szpitalnych korytarzach i śpiewać, to na pewno ktoś nas rozpozna.

– Racja – przyznał Klaus. – To niemożliwe, żeby wszyscy lekarze, personel szpitala i pacjenci wyznawali zasadę, że żadna wiadomość to dobra wiadomość. Niektórzy na pewno już czytali dzisiejszy „Dziennik Punctilio".

– Aronek – zauważyło Słoneczko, komunikując: „I wcale nas to nie zbliża do rozwiązania sekretu WZS, ani zagadki Jacques'a Snicketa".

– Racja – przyznała Wioletka. – Może raczej powinniśmy poszukać Archiwum, tak jak radził ten brodaty pan.

– Tylko gdzie szukać Archiwum? – zastanowił się Klaus. – Jesteśmy na odludziu!

– Nie idzi! – oznajmiło kategorycznie Słoneczko.

– Ja też nie mam najmniejszej ochoty dalej iść – powiedziała Wioletka – ale chyba nie ma innej rady.

– Uwaga, wolontariusze! – zawołał brodacz. Sięgnął do wozu po gitarę i zagrał kilka znanych już dzieciom akordów. – Każdy bierze w rękę serduszko-balonik i śpiewamy, trzy cztery!

*My Wolontariusze Zwalczania Schorzeń*
*Weselim się zawsze i wszędzie*
*A kto o nas powie, że smutki nam w głowie*
*Ten w wielkim będzie błędzie.*

– Uwaga, uwaga! – przerwał mu głos, który zdawał się dochodzić z nieba. Był to głos żeński, bardzo jednak skrzekliwy i niewyraźny, jakby mówiąca miała usta zakryte aluminiową folią. – Proszę wszystkich o uwagę!

– Cicho! – zarządził brodacz, przerywając śpiew. – To Babs, szpitalna Szefowa Kadr. Musi mieć jakiś ważny komunikat.

– Uwaga, uwaga! – powtórzył głos. – Mówi do was Babs, Szefowa Kadr. Nadaję ważny komunikat.

– Gdzie ona jest? – spytał Klaus, zaniepokojony, że Szefowa Kadr może rozpoznać w ekipie WZS troje ściganych morderców.

– Gdzieś na terenie szpitala – odparł brodacz. – Ona woli komunikować się z podwładnymi przez interkom.

Słowo „interkom" odnosi się tutaj do urządzenia połączonego z umieszczonym w odległym miejscu mikrofonem. Dopiero teraz dzieci dostrzegły rząd niepozornych głośników, zawieszonych na ukończonej połowie budynku, tuż nad portretami słynnych lekarzy.

– Uwaga, uwaga! – zabrzmiało po raz trzeci, jeszcze bardziej skrzekliwie i niewyraźnie, jakby kobieta mówiąca przez folię aluminiową wpadła z mikrofonem do basenu wypełnionego gazowaną lemoniadą. Skrzekliwy, niewyraźny głos nie jest zbyt przyjemną muzyką dla uszu, a jednak gdy zabrzmiał zapowiadany komunikat, wzburzone serca Baudelaire'ów uspokoiły się jak pod działaniem najsłodszej melodii. Bynajmniej nie z powodu samego brzmienia głosu Babs, a z powodu treści komunikatu.

– Troje Wolontariuszy Zwalczania Schorzeń potrzebnych jest do podjęcia zadania specjalnego –

oznajmił głos. – Chętna trójka zgłosi się natychmiast do mojego biura, które mieści się w pokoju siedemnastym na lewo od wejścia do ukończonej części budynku. Zamiast spacerować po korytarzach i śpiewać chorym, tych troje wolontariuszy zajmie się pracą w szpitalnym Archiwum. Koniec komunikatu.

ROZDZIAŁ

# Czwarty

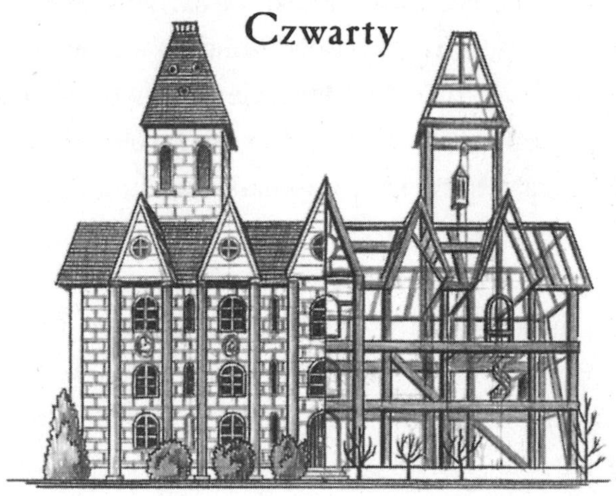

Czy zostało się karnie wysłanym do dyrektorki szkoły za rzucanie mokrym papierem klozetowym w sufit, żeby sprawdzić, czy się przyklei, czy też z własnej woli przyszło się do dentysty z prośbą, aby nam wyborował dziurę w trzonowym zębie i tym sposobem umożliwił przeszmuglowanie pojedynczej kartki z naszej ostatniej książki przez barierę celną na lotnisku – nigdy nie jest przyjemnie stanąć pod drzwiami gabinetu, tak jak stanęły właśnie sieroty Baudelaire. Stanęły one pod drzwiami z tabliczką GABINET SZEFA KADR i natychmiast przypomniały im się wszystkie niemiłe gabinety, w których bywały ostatnimi czasy. Pierwszego dnia pobytu w Szkole imienia Prufrocka, zanim jeszcze poznali Izadorę i Duncana Bagiennych, Baudelaire'owie odwiedzili gabinet Wicedyrektora Nerona, gdzie poznali surowy i niesprawiedliwy regulamin szkoły. Przed podjęciem pracy w Tartaku Szczęsna Woń wezwani zostali do gabinetu właściciela tartaku, który bez ogródek odmalował przed nimi tragizm ich położenia. Odwiedzali też wielokrotnie gabinet pana Poe w jego banku: w tym gabinecie pan Poe zwykle kaszlał, rozmawiał przez telefon i podejmował decyzje dotyczące przyszłości Baudelaire'ów, niestety, jak dotąd same niesłuszne. Zresztą, nawet gdyby sieroty Baudelaire nie miały wszystkich tych przykrych doświadczeń, byłoby rzeczą całkiem zrozumiałą, że zanim zapukały do siedemnastych drzwi po lewej stronie od wejścia, musiały odczekać chwilę i nabrać odwagi.

– Nie wiem, czy powinniśmy ryzykować – powiedziała Wioletka. – Jeżeli Babs czytała dzisiejszy „Dziennik Punctilio", rozpozna nas od progu. To mniej więcej tak, jakby pukać do drzwi własnej więziennej celi.

– Ale Archiwum może być naszą jedyną nadzieją – zaprotestował Klaus. – Musimy się dowiedzieć, kim naprawdę był Jacques Snicket, gdzie pracował i skąd znał naszą rodzinę. Jeżeli uda nam się zebrać dowody, przekonamy wszystkich, że Hrabia Olaf wciąż żyje, a my nie jesteśmy mordercami.

– Kuroj – zauważyło Słoneczko, komunikując: „Poza tym, trojaczki Bagienne są w tej chwili bardzo daleko, a z ich notesów mamy tylko parę luźnych kartek. Trzeba koniecznie rozszyfrować prawdziwe znaczenie WZS".

– Słoneczko ma rację – przyznał Klaus. – Kto wie, czy w Archiwum nie rozwiążemy nawet tajemnicy podziemnego tunelu, który biegnie od domu Jeremiego i Esmeraldy Szpetnych do pogorzeliska po rezydencji Baudelaire'ów.

– Afige – powiedziało Słoneczko, komunikując coś w sensie: „A warunkiem dostania się do Archiwum jest rozmowa z Babs, więc musimy podjąć ryzyko".

– No więc dobrze – zgodziła się Wioletka i uśmiechnęła z góry do siostrzyczki. – Przekonałaś mnie, Słoneczko. Ale jeżeli Babs zacznie się zachowywać podejrzanie, natychmiast wychodzimy, zgoda?

– Zgoda – oświadczył Klaus.

– Pasimito – oświadczyło Słoneczko.

I zapukało do drzwi.

– Kto tam? – rozległ się donośny głos Babs.

– Troje Wolontariuszy Zwalczania Schorzeń – odparła Wioletka. – Chcieliśmy się zgłosić do pracy w Archiwum.

– Wejść! – zarządziła Babs, więc dzieci otworzyły drzwi i weszły do gabinetu. – Ciekawa byłam, kiedy w końcu ktoś się zgłosi. Zdążyłam już nawet przeczytać poranną gazetę. Podobno jakieś straszne dzieciaki grasują po okolicy i mordują porządnych ludzi.

Baudelaire'owie spojrzeli po sobie i już chcieli dać nogę z gabinetu, gdy nagle coś zobaczyli i zmienili zdanie. Gabinet szpitalnego Szefa Kadr był nieduży, biurko też malutkie, dwa krzesełka i okienko z dwiema firaneczkami. Na okienku stał wazonik z żółtymi kwiatkami, a na ścianie wisiał gustowny portrecik mężczyzny wiodącego konika do małej sadzawki. Lecz to nie umeblowanie gabinetu ani kwiaty na oknie, ani gustowne dzieło sztuki, skłoniły Baudelaire'ów do poniechania ucieczki.

Głos Babs dobiegał wprawdzie od strony biurka, czego sieroty jak najbardziej się spodziewały, nie spodziewały się jednak, że Babs wcale nie będzie siedziała za biurkiem ani na biurku, ani nawet pod biurkiem. Zastępował ją mały interkom – taki sam jak na elewacji szpitala – ustawiony na środku biurka. Z niego właśnie płynął do dzieci głos. Dziwnie było słuchać głośnika zamiast żywej osoby, ale ulgę przyniosła dzieciom myśl, że skoro Babs ich nie widzi, to i nie może ich rozpoznać. Dlatego nie uciekły z gabinetu.

– My też jesteśmy dziećmi, i jest nas troje – powiedziała Wioletka, usiłując zachować uczciwość w granicach rozsądku – ale wolimy pracować ochotniczo w szpitalu, niż wstąpić na drogę zbrodni.

– Skoro jesteście dziećmi, to milczcie! – odpowiedziała grubiańsko Babs. – Uważam, że dzieci powinno być widać, ale nie słychać. Co do mnie, jestem dorosła, a z tego prosty wniosek, że powinno mnie być słychać, ale nie widać. Dlatego właśnie pracuję wyłącznie przez interkom. A wy zostaniecie oddelegowani do najważniejszej pracy w naszym szpitalu. Domyślacie się, co to za praca?

– Leczenie chorych? – domyślił się Klaus.

– Milczeć! – rozkazał głośnik. – Dzieci powinno być widać, ale nie słychać, zapomniałeś? To, że ja cię nie widzę, nie upoważnia cię do wygłaszania bredni o chorych. Zresztą, nie zgadłeś. Najważniejszą pracą w naszym szpitalu jest dokumentacja i nią właśnie zajmiecie się w Archiwum: będziecie porządkować akta. Na pewno okaże się to dla was trudne, bo dzieci nie mają za grosz doświadczenia administracyjnego.

– Systa! – zaprotestowało Słoneczko. Wioletka już chciała wyjaśnić głosowi, że jej siostrzyczka zakomunikowała coś w sensie: „O, przepraszam, ja pracowałam jako asystentka administracyjna w Szkole Powszechnej imienia Prufrocka" – zrezygnowała jednak, bo interkom interesował się wyłącznie besztaniem Baudelaire'ów, co tu znaczy: „wrzeszczeniem MILCZEĆ!" przy byle okazji.

– Milczeć! – wrzasnął interkom. – Zamiast ględzić, marsz do Archiwum, w tej chwili! Archiwum mieści się w piwnicy, schodzi się schodami zaraz za moim gabinetem, na sam dół. Macie stawiać się tam codziennie rano, prosto z furgonetki, a pod wieczór wracać ze stanowiska pracy prosto do furgonetki. Furgonetka WZS będzie was codziennie przywozić i odwozić. Są pytania?

Baudelaire'owie mieli, naturalnie, masę pytań, ale nie zadali ani jednego. Po pierwsze, wiedzieli, że na pierwsze ich słowo interkom wrzaśnie

MILCZEĆ!, a po drugie chcieli już jak najprędzej znaleźć się w Archiwum, gdyż liczyli na to, że znajdą tam odpowiedzi na najważniejsze dla siebie pytania.

– Doskonale! – pochwalił głos. – Uczcie się być widziani, ale nie słyszani. A teraz jazda z mojego gabinetu!

Dzieci bardzo chętnie opuściły gabinet i bez trudu znalazły schody, o których wspominał głos. Ucieszyły się, że tak łatwo będzie im zapamiętać drogę do Archiwum, ponieważ cały szpital wyglądał raczej na miejsce, w którym nietrudno się zgubić. Schody kręciły to w lewo, to w prawo, mijając wiele drzwi i korytarzy, a co parę metrów na ścianie wisiał głośnik interkomu, pod nim zaś skomplikowany plan budynku Szpitala Schnitzel, pełen strzałek, gwiazdek i innych, niezrozumiałych dla Baudelaire'ów, odnośników. Co jakiś czas mijał ich ktoś z pracowników szpitala, idący w górę. Chociaż jak dotąd ani Wolontariusze Zwalczania Schorzeń, ani Szefowa Kadr nie rozpoznali sierot Baudelaire, dzieci były pewne, że ktoś w szpitalu musiał czytać poranny „Dziennik Punctilio”, a w związku z tym wolały nie być ani widziane, ani słyszane. Dlatego, ilekroć ktoś nadchodził, odwracały się do ściany i udawały, że badają plan budynku, aby nadchodząca osoba nie mogła zobaczyć ich twarzy.

– Uff, udało się! – westchnęła z ulgą Wioletka, kiedy grupka rozgadanych lekarzy minęła dzieci i nawet na nie nie spojrzała.

– Owszem, mieliśmy szczęście – powiedział Klaus. – Nie nadużywajmy go jednak. Uważam, że nie powinniśmy po pracy wracać tędy do furgonetki, ani dzisiaj, ani w ogóle nigdy. Prędzej czy później ktoś na pewno by nas rozpoznał.

– Masz rację – przyznała Wioletka. – Żeby dostać się do furgonetki, musielibyśmy za każdym razem przejść przez cały szpital. Ale w przeciwnym razie, gdzie się schronimy na noc? W Archiwum spać nie możemy, bo to wzbudzi podejrzenia.

– Poło! – podpowiedziało Słoneczko.

– Świetny pomysł! – pochwaliła Wioletka. – Możemy nocować w niedokończonej połowie szpitala. Tam nocą nikt nie zagląda.

– Mamy nocować sami w niedokończonym budynku? – zaniepokoił się Klaus. – Przecież tam będzie zimno i ciemno.

– Nie będzie gorzej niż w Budzie dla Sierot w Szkole imienia Prufrocka, to po prostu niemożliwe – powiedziała Wioletka.

– Dania – dodało Słoneczko, komunikując: „Albo w sypialni u Hrabiego Olafa".

Klaus zadrżał na wspomnienie strasznych czasów, kiedy opiekunem Baudelaire'ów był Hrabia Olaf.

– Macie rację – stwierdził. – W niedokończonym skrzydle szpitala nie będzie nam tak źle.

Stanęli właśnie pod drzwiami z tabliczką ARCHIWUM.

Zapukali do drzwi, te zaś otworzyły się niemal natychmiast, ukazując jednego z najstarszych staruszków, jakich do tej pory dzieci spotkały w swoim życiu, który w dodatku miał na nosie najmniejsze okulary, jakie do tej pory dzieci widziały w swoim życiu. Szkła tych okularów miały średnicę ziaren zielonego groszku, więc żeby coś przez nie widzieć, staruszek musiał bardzo mrużyć oczy.

– Wzrok mam już nie ten, co dawniej – poskarżył się dzieciom – ale wydaje mi się, że jesteście dziećmi. I to dziećmi, które już gdzieś widziałem. Tylko gdzie, tylko gdzie?

Baudelaire'owie wymienili spłoszone spojrzenia, niepewni, czy lepiej wiać z archiwum, czy spróbować przekonać staruszka, że się pomylił.

– Jesteśmy nowymi wolontariuszami – oznajmiła Wioletka. – Nie sądzę, abyśmy się skądś znali.

– Babs przydzieliła nas do pracy w Archiwum – dodał Klaus.

– A więc trafiliście, gdzie trzeba – uśmiechnął się staruszek, a jego twarz zmarszczyła się przy tym jak suszona śliwka. – Nazywam się Hal i pracuję w tym archiwum od tak dawna, że nie chce mi się liczyć lat. Wzrok mam już jednak nie ten, co dawniej, więc poprosiłem Babs, żeby mi oddelegowała paru wolontariuszy do pomocy.

– Wolik – powiedziało Słoneczko.

– Moja siostra bardzo się cieszy, że będzie mogła panu pomóc – przetłumaczyła Wioletka. – My z bratem również.

– Miło mi to słyszeć – powiedział Hal – bo czeka nas tu mnóstwo roboty. Wejdźcie, proszę, wprowadzę was w nowe obowiązki.

Baudelaire'owie weszli więc do środka. Znaleźli się w małym pokoiku, w którym stał tylko stolik z misą świeżych owoców.

– Czy to Archiwum? – upewnił się Klaus.

– Ależ skąd! – odparł staruszek. – To pakamera, w której trzymam owoce. Jak zgłodniejecie przy pracy, możecie się zawsze poczęstować. No i jest tu interkom, pod którym trzeba się stawiać, ilekroć Babs nadaje komunikat.

Staruszek poprowadził dzieci do niewielkich drzwi w głębi pakamery i wygrzebał z kieszeni pęk kluczy na sznurku. Kluczy były setki i wszystkie podzwaniały o siebie nawzajem. Hal jednak bez najmniejszego trudu wybrał spośród nich właściwy klucz.

– To – uśmiechnął się półgębkiem, otwierając drzwiczki – jest nasze Archiwum.

Wprowadził dzieci do półmrocznego pomieszczenia z bardzo niskim stropem – tak niskim, że omiatał go prawie siwymi włosami. Pomieszczenie, choć wyjątkowo niskie, zajmowało jednak ogromną powierzchnię. Archiwum było tak rozległe, że sieroty Baudelaire z trudem dostrzegły jego tylną ścianę, jak również ściany po lewej i po prawej stronie. Całą powierzchnię zajmowały metalowe szafy z aktami, starannie skatalogowanymi w szufladach. Szafy stały rzędami, jedna przy drugiej, jak okiem sięgnąć, od ściany do ściany. Przejścia między rzędami szafek były bardzo wąskie, więc dzieci musiały iść za Halem gęsiego, gdy oprowadzał je po Archiwum.

– Sam to wszystko urządziłem – pochwalił się Hal. – Archiwum nasze zawiera informacje nie tylko o Szpitalu Schnitzel, ale i o całej okolicy. Wszelkie informacje: od pigułek po piramidy, od piżmowca po poezję, i od psychologii po pulpety – a to tylko rząd P, którym idziemy, i to nie cały.

– Co za nadzwyczajne miejsce! – zachwycił się Klaus. – Pomyśleć tylko, ile można się nauczyć z tych fiszek!

– Nie, nie, nie, nic z tego! – zaprotestował surowo Hal. – Mamy tylko katalogować informacje, nie wolno ich czytać! Zapamiętajcie sobie, że nie wolno wam czytać żadnych fiszek z wyjątkiem tych, nad których katalogowaniem akurat pracujecie. Właśnie dlatego wszystkie szafy są pozamykane. Chodźmy dalej, pokażę wam, gdzie będziecie pracować.

Zaprowadził dzieci w głąb Archiwum i wskazał im nieduży prostokątny otwór w ścianie, przez który mogłoby się przecisnąć najwyżej Słoneczko albo Klaus, ale z trudem. Obok otworu stał kosz pełen kartek i pojemnik ze spinaczami biurowymi.

– Władze umieszczają informacje w kanale informacyjnym, który zaczyna się poza szpitalem, a kończy właśnie tutaj – wyjaśnił staruszek. –

Dwie osoby są mi potrzebne do segregowania informacji z kosza. Oto zadanie dla was. Po pierwsze, usuwacie z dokumentu spinacz biurowy, który odkładacie do tego pojemnika. Po drugie, rzucacie okiem na dokument i orientujecie się, jak go skatalogować. To wszystko. Ważne tylko, żeby czytać jak najmniej. Na przykład...

Tu przerwał, aby zademonstrować dzieciom, co ma na myśli. Usunął spinacz biurowy z pliku dokumentów, zerknął pobieżnie na pierwszą stronę i podjął wątek:

– Na przykład, bierzemy ten dokument, czytamy pierwszy akapit i od razu widzimy, że rzecz dotyczy pogody, jaka panowała w zeszłym tygodniu w Doku Damoklesa, który leży nad jakimś jeziorem, nie pamiętam gdzie. W tej sytuacji prosicie mnie o otwarcie szafy w rzędzie D, gdzie mamy Damoklesa, albo w rzędzie P, gdzie mamy Pogodę, albo nawet w rzędzie A, gdzie mamy Akapit. Wybór należy do was.

– Czy taki system nie utrudnia korzystania z archiwum? – zdziwił się Klaus. – Czytelnik nie wie w końcu, czy ma sprawdzać pod D, czy pod P, czy pod A?

– To sprawdzi sobie we wszystkich trzech miejscach – odparł Hal. – Czasami informacja, której szukamy, znajduje się w całkiem nieoczekiwanym miejscu. Pamiętajcie, że dokumentacja jest w tym szpitalu najważniejsza, podejmujecie więc misję wielkiej wagi. Czy sądzicie, że podołacie zadaniu prawidłowego skatalogowania tych dokumentów? Najlepiej zacznijcie od razu.

– Ja myślę, że podołamy – powiedziała Wioletka. – A co będzie robić trzeci wolontariusz?

Staruszek rozejrzał się z zakłopotaniem i zadzwonił pękiem kluczy, unosząc go w górę.

– Parę kluczy od szafek gdzieś mi się zawieruszyło – wyznał ze skruchą. – Do otwierania tych szafek bez kluczy potrzebuję teraz kogoś z ostrym narzędziem.

– Ja! – pisnęło Słoneczko.

– Moja siostra zgłasza się do tej pracy, gdyż ma bardzo ostre zęby – wyjaśniła Wioletka.

– Twoja siostra? – powtórzył staruszek i poskrobał się po głowie. – Ciekawe, skąd ja mogłem wiedzieć, że wy troje jesteście rodzeństwem? Coś mi się zdaje, że ja o was gdzieś czytałem, i to niedawno.

Dzieci znów popatrzyły po sobie, czując dziwne łaskotanie w żołądkach.

– Czytuje pan może „Dziennik Punctilio"? – spytał ostrożnie Klaus.

– A gdzie tam! – oburzył się staruszek. – To najgorsza gazeta na świecie! Drukują tam same kłamstwa, albo prawie.

Sieroty Baudelaire uśmiechnęły się z ulgą.

– Nawet pan nie wie, jak miło nam to słyszeć – powiedziała Wioletka. – No, szkoda czasu, bierzmy się do pracy.

– Tak, tak – przyznał jej rację Hal. – Chodź, malutka, tobie pokażę, gdzie są te szafy bez klucza, a wy dwoje bierzcie się do katalogowania. Co to ja jeszcze chciałem... co ja chciałem...

Jego głos cichł stopniowo, ale nagle staruszek rozpromienił się i pstryknął palcami.

Oczywiście, jest wiele powodów, dla których człowiek może rozpromienić się i pstryknąć palcami. Jeśli, dajmy na to, usłyszy przyjemną melodię, może rozpromienić się i pstryknąć palcami na znak, że muzyka łagodzi jego obyczaje. Jeżeli natomiast jest zawodowym szpiegiem, może rozpromienić się i pstryknąć palcami, gdyż właśnie przekazuje tajną wiadomość za pomocą tajnego kodu uśmiechowo-pstrykowego. Może też rozpromienić się i pstryknąć palcami w sytuacji, gdy przez dłuższy czas bezskutecznie usiłował sobie coś przypomnieć i nagle mu się udało. Staruszek Hal nie słuchał w Archiwum muzyki, nie był też – co stwierdzam autorytatywnie po dziewięciu miesiącach, sześciu dniach i czternastu godzinach badań – zawodowym szpiegiem, toteż rozsądnie będzie dojść do wniosku, że właśnie coś sobie przypomniał.

– Właśnie coś sobie przypomniałem – oświadczył. – Już wiem, skąd wiem, że was znam.

To mówiąc, prowadził Słoneczko coraz dalej ku szafom, od których poginęły klucze, toteż głos jego dobiegał Wioletkę i Klausa coraz mniej wyraźnie, jakby dochodził przez interkom.

– Nie żebym ja coś czytał, skądże znowu – zastrzegł się Hal. – Ale rzuciła mi się w oczy informacja o was w dokumencie o pożarach Snicketa.

– Nic nie rozumiem – powiedział Klaus, a były to słowa, które wypowiadał nader rzadko.

Wioletka kiwnęła głową, po czym rzekła coś, co też mówiła bardzo rzadko:

– To zagadka. Nie jestem pewna, czy zdołamy ją rozwiązać.

– Pietrisykamolawiaderechtomeksja – powiedziało Słoneczko, które jak dotąd wymówiło to słowo tylko raz, a komunikowało nim coś w sensie: „Przyznaję, że nie mam zielonego pojęcia, o co tu chodzi". Najmłodsze z Baudelaire'ów wypowiedziało to słowo po raz pierwszy tuż po tym, jak przetransportowano je do domu ze szpitala, gdzie się urodziło. Wymówiło je na widok swego rodzeństwa, pochylonego życzliwie nad jego kołyską. Tym razem Słoneczko znajdowało się w niedokończonym skrzydle szpitala, w którym było zatrudnione jako siła robocza, i patrzyło na swoje rodzeństwo, usiłując wraz z nim odgadnąć, co miał na myśli stary Hal, kiedy wspomniał o „pożarach Snicketa". Gdybym towarzyszył wówczas sierotom Baudelaire, mógłbym im opowiedzieć mrożącą krew w żyłach historię o ludziach płci obojga, którzy przystąpili do szlachetnej rzekomo organizacji, co w efekcie zrujnowało im życie za sprawą jednego chciwego człowieka i jednej nierzetelnej gazety. Niestety, sieroty były same i dysponowały tylko paroma luźnymi kartkami z notesów rodzeństwa Bagiennych.

Zapadła noc. Po całodziennej pracy w Archiwum sieroty Baudelaire umościły się, jak mogły najwygodniej w niedokończonym skrzydle szpitala, lecz z żalem zastrzegam, że w tym przypadku sformułowanie „jak mogły najwygodniej" oznacza „całkiem niewygodnie". Wioletka wygrzebała skądś parę latarek pozostałych po budowniczych szpitala pracujących w ciemnych zakamarkach, lecz gdy je rozstawiła i zapaliła, światło wydobyło tylko na jaw cały brud i nędzę pomieszczenia. Klaus znalazł gdzieś porzucone płachty, którymi malarze zakrywali podłogę przed zachlapanicm farbą, lecz gdy owinął nimi siebie i siostry, nagłe ciepło uświadomiło im tylko, jak zimny jest wieczorny wiatr wiejący do środka przez szpary w plastikowych zasłonach poprzybijanych do desek rusztowania ścian. Słoneczko skorzystało ze swoich ostrych zębów, aby podziabać na kawałki garść owoców z pakamery i w ten sposób sporządzić sałatkę owocową na kolację, ale każdy jej kęs uświadamiał tylko dzieciom rozmiary pustki i samotności, w jakiej się znalazły. A jednak, mimo iż Baudelaire'owie tak wyraźnie uświadomili sobie skrajną nędzę, chłód i opuszczenie, nic innego w tej sytuacji nie było dla nich jasne.

– Chcieliśmy poszukać w Archiwum informacji o Jacques'u Snickecie – powiedziała Wioletka –

a wygląda na to, że możemy dowiedzieć się tu czegoś nowego o sobie samych. Co, waszym zdaniem, może znajdować się w dokumentach, o których wspomniał Hal?

– Nie mam pojęcia – odparł Klaus. – Myślę, że Hal też tego nie wie. Przecież z zasady nie czyta dokumentów.

– Sirk – powiedziało Słoneczko, komunikując: „Szczerze mówiąc, ja bałam się go wypytywać o szczegóły".

– Ja też – przyznała Wioletka. – Przede wszystkim nie powinniśmy zwracać na siebie uwagi. Hal w każdej chwili może się dowiedzieć, że jesteśmy ściganymi mordercami, a wtedy doniesie na nas i wpakują nas do więzienia, zanim zdążymy dowiedzieć się czegokolwiek.

– Z jednego więzienia już uciekliśmy – rzekł Klaus – ale nie wiem, czy taki numer udałby się drugi raz.

– Miałam nadzieję, że wyczytamy coś ważnego w notatkach Duncana i Izadory, ale są one bardzo nieczytelne.

Klaus z namysłem przesuwał nieliczne ocalałe fragmenty zapisków Bagiennych, jak rozsypane części trudnej układanki.

– Ostrze harpuna porwało kartki na strzępy – mruknął z żalem. – Tu, patrzcie, Duncan zanotował: „Jacques Snicket pracował dla WZS, pełna nazwa: Wolontariusze..." i tu się kartka urywa, w najważniejszym miejscu.

– A na tej stronie – powiedziała Wioletka, podnosząc kartkę, której wspomnienie ściska mi serce – napisane jest:

*Na fotografiach i zebraniach*
*Snicket niechętnie twarz odsłania.*

– Poznaję styl Izadory: kuplet rymowany – zawyrokowała.

– Mam tu świstek ze słowem „apartament" – powiedział Klaus – i sporym fragmentem jakby mapy. Myślę, że może chodzić o apartament Jeremiego i Esmeraldy Szpetnych, u których mieszkaliśmy.

– Nie przypominaj mi o nich – Wioletka wzdrygnęła się na wspomnienie nieszczęść doznanych w apartamencie przy Alei Ciemnej 667.

– Rabawi – wtrąciło się Słoneczko, pokazując inny skrawek kartki.

– Widzę tu dwa nazwiska – powiedziała Wioletka. – Pierwsze: Al Funcoot.

– To autor tej koszmarnej sztuki, w której kazał nam zagrać Olaf – przypomniał sobie Klaus.

– Tak, wiem – rzekła Wioletka. – Ale drugiego nazwiska nie znam: Ana Gram.

– Skoro Bagienni tropili Olafa i badali jego niecny plan, to Ana Gram może być kimś z asystentów Olafa – wydedukował Klaus.

– Wątpliwe, żeby nazywał się tak hakoręki – podjęła wątek Wioletka – albo ten łysy z długim nosem. Mężczyźni nie używają imienia Ana.

– Ale może to być któraś z bladolicych – zauważył Klaus.

– Orlando! – dorzuciło Słoneczko, komunikując: „Albo ten ktoś, po kim trudno poznać, czy to pan, czy pani".

– Albo jeszcze ktoś inny, kogo dotychczas nie poznaliśmy – westchnęła Wioletka, i zajęła się kolejnym skrawkiem kartki. – Mam tu jedną stronę nienaruszoną, ale zapisana jest od góry do dołu wyłącznie datami. Wygląda na to, że jakieś zdarzenie powtarzało się mniej więcej co dwanaście tygodni.

Klaus podniósł najmniejszy ścinek i pokazał go siostrom, patrząc na nie bardzo smutno żza szkieł okularów.

– Tutaj jest tylko jedno słowo: „pożar” – powiedział cicho.

Wszyscy troje spuścili głowy i zapatrzyli się w brudną podłogę. Każde słowo budzi w nas podświadome skojarzenia, to znaczy, zmusza nas do myślenia o pewnych konkretnych rzeczach, nawet jeśli tego nie chcemy. Na przykład słowo „tort” może komuś przypomnieć o urodzinach, a słowa „strażnik więzienny” – o kimś bardzo dawno niewidzianym. Mnie słowo „Beatrycze” przypomina o pewnej ochotniczej organizacji, do cna przeżartej korupcją, a słowo „północ” –

o tym, że muszę bardzo spieszyć się z pisaniem tego rozdziału, bo inaczej zapewne utonę. Baudelaire'owie natomiast mieli masę podświadomych skojarzeń ze słowem „pożar" i żadne z tych skojarzeń nie było przyjemne. Na hasło „pożar" przypomnieli sobie o Halu, który po południu w Archiwum wspomniał coś o pożarach Snicketa. Na hasło „pożar" przypomnieli sobie o Duncanie i Izadorze Bagiennych, którzy stracili w pożarze rodziców oraz brata Quigleya. Na hasło „pożar" przypomnieli też sobie, naturalnie, ogień, który unicestwił ich dom rodzinny, ich samych skazując na niefortunną tułaczkę, której najnowszym etapem był Szpital. Dzieci przytuliły się do siebie mocno pod płachtami malarskimi, a im dłużej myślały o pożarach i im więcej nasuwało im się podświadomych skojarzeń, tym robiło im się zimniej i zimniej.

– Akta Snicketa na pewno wszystko nam wyjaśnią – podsumowała Wioletka. – Musimy się dowiedzieć, kim był Jacques Snicket i dlaczego nosił na nodze taki sam tatuaż jak Hrabia Olaf.

– No i dlaczego został zamordowany – uzupełnił Klaus. – Nie mówiąc już o tym, że musimy dotrzeć do prawdziwego znaczenia skrótu WZS.

– Nas! – dodało Słoneczko, komunikując: „Oraz dowiedzieć się, dlaczego w Archiwum przechowuje się nasze zdjęcie".

– Trzeba koniecznie dotrzeć do akt Snicketa! – zdecydowała Wioletka.

– Łatwiej to powiedzieć niż zrobić – westchnął Klaus. – Hal zabronił nam przecież czytać jakiekolwiek akta, a będzie z nami w Archiwum przez cały czas.

– Znajdziemy jakiś sposób – powiedziała Wioletka. – A na razie spróbujmy się porządnie wyspać, żebyśmy jutro byli w dobrej formie i zdobyli dokumenty o pożarach Snicketa.

Klaus i Słoneczko kiwnęli głowami i zaczęli układać płachty malarskie w jakie takie legowisko, a tymczasem Wioletka po kolei gasiła latarki. Cała trójka skuliła się i przedrzemała jakoś resztę nocy na brudnej podłodze, w zimnym przeciągu omiatającym ich nad wyraz niestosowny nowy dom, a rankiem, po śniadaniu złożonym z resztek wczorajszej sałatki owocowej, Wioletka, Klaus i Słoneczko udali się do wykończonej części Szpitala. Tam zeszli cichutko po schodach, mijając liczne głośniki i plany budynku. Hal już urzędował w Archiwum, już otwierał kolejne szafy z aktami, podzwaniając długim pękiem kluczy. Widząc to, Wioletka z Klausem bezzwłocznie przystąpili do katalogowania dokumentów, które napłynęły kanałem informacyjnym przez ostatnią noc, a Słoneczko wzięło się zębami za szafy, od których poginęły klucze. Wszyscy troje myśleli jednak nie o katalogowaniu i nie o zamkach szafek, lecz o jednych konkretnych aktach.

Prawie wszystko łatwiej jest powiedzieć niż zrobić, z wyjątkiem takich stwierdzeń jak: „systematycznie asystować symptomatycznej sympatycznej asymptotycznej siostrze Syzyfa" – co zwykle łatwiej jest zrobić niż powiedzieć. Nie myślmy jednak o tym, bo to psuje humor.

Wioletka, lokując akta z informacją o mątwie pod literą G – głowonogi – powiedziała sobie:

„Przejdę się jakby nigdy nic alejką S i sprawdzę pod Snicket". Niestety, nie mogła tego zrobić, gdyż Hal urzędował właśnie w sekcji S, zajęty katalogowaniem rycin obrazujących szpulki nici. Klaus, porządkując akta o naparstkach pod literą O – ochrona kciuka – powiedział sobie: „Przejdę się jakby nigdy nic alejką P i sprawdzę pod P jak pożar". Niestety, Hal tymczasem przeniósł się właśnie do sekcji P i otwierał szafę z biografiami polskich poławiaczy pereł, celem jej uporządkowania. Słoneczko, manipulując zębami to w lewo, to w prawo, przy otwieraniu wyjątkowo opornej szafy w sekcji B, pomyślało sobie, że może akta, których szukają, są właśnie w tej szafie, pod Baudelaire. Niestety, otworzywszy ją wreszcie z wielkim trudem, stwierdziło, że szafa jest kompletnie pusta.

– Nico – powiedziało Słoneczko, zasiadając wraz z rodzeństwem do krótkiej przerwy na owocowe śniadanie w pakamerze.

– U mnie też – rzekł Klaus. – Ale jak możemy cokolwiek znaleźć, skoro Hal cały czas się tu kręci?

– Może poprosić właśnie jego o znalezienie? – zasugerowała Wioletka. – W normalnej bibliotece poprosiłoby się o pomoc bibliotekarza, więc może w archiwum powinno się spytać archiwistę, gdzie co leży?

– Pytajcie, o co chcecie – odezwał się Hal, wchodząc do pakamery. – Najpierw jednak ja chcę was o coś spytać. – Podszedł bliżej i wskazał na jeden z owoców. – Czy to śliwka czy daktyl? Wzrok mam, niestety, już nie ten, co dawniej.

– Śliwka – odparła Wioletka, podając mu owoc.

– Całe szczęście – odetchnął Hal, sprawdzając, czy śliwka nie jest nadpsuta. – Nie mam dziś smaku na daktyle. A teraz wy pytajcie, słucham.

– Chcieliśmy spytać o pewne akta – zaczął ostrożnie Klaus, nie chcąc obudzić podejrzeń Hala. – Wiemy, że nie zaleca się czytania akt, ale czy byłoby możliwe zrobienie wyjątku, gdyby nas coś specjalnie interesowało?

Hal nadgryzł śliwkę i nasrożył się.

– A czemu was interesują jakieś akta? Dzieci powinny zadowolić się książkami dla dzieci, z kolorowymi obrazkami, a nie zajmować się urzędową dokumentacją archiwalną.

– Ale nas właśnie interesuje urzędowa dokumentacja – zapewniła go Wioletka. – Cały czas pracujemy tak pilnie, że nie mamy okazji nawet rzucić okiem na żaden dokument. Dlatego mieliśmy nadzieję, że będzie nam wolno wypożyczyć jeden na trochę do domu.

Hal pokręcił głową.

– Papierkowa robota to nasza najważniejsza misja w tym szpitalu – oświadczył surowo. – Akta wypożycza się tylko w szczególnie uzasadnionych przypadkach. Na przykład...

Baudelaire'owie nie doczekali jednak przykładu, gdyż archiwiście przerwał głos z interkomu.

– Uwaga uwaga! – obwieścił, a dzieci automatycznie odwróciły się do głośnika. – Uwaga uwaga!

Sieroty Baudelaire spojrzały ze zgrozą najpierw po sobie, a potem na ścianę, na której wisiał głośnik. Głos z interkomu nie był głosem Babs. Brzmiał, owszem, niewyraźnie i skrzekliwie, ale nie należał do Szefowej Kadr Szpitala.

Był to głos, który ścigał Baudelaire'ów wszędzie, gdziekolwiek się udali, dopadał ich w każdym domu i pod każdą opieką, a oni, choć słyszeli ten głos już tyle razy, nigdy nie oswoili się z jego szyderczym tonem. Głos ten brzmiał tak, jakby mówiący opowiadał dowcip z okrutną i niespodziewaną pointą.

– Uwaga uwaga! – obwieścił po raz trzeci ten sam głos, ale sieroty Baudelaire nawet bez specjalnego uważania rozpoznały ten straszny głos jako głos Hrabiego Olafa.

– Babs zrezygnowała z pracy w Szpitalu – komunikował głos, a dzieciom zdawało się, że widzą okrutny uśmieszek na twarzy Olafa, który zawsze uśmiechał się w ten sposób, kiedy kłamał. – Postanowiła zrobić karierę jako kaskaderka i na początek rzuciła się z ostatniego piętra budynku. Nowym Szefem Kadr Szpitala Schnitzel zostałem ja. Nazywam się Matateusz. Zarządzam kompleksową inspekcję wszystkich stanowisk pracy, począwszy od zaraz. Koniec komunikatu.

– Inspekcja, też mi pomysł! – prychnął Hal, dojadając śliwkę. – Zamiast marnować czas na głupie inspekcje, powinni wreszcie wykończyć drugie skrzydło szpitala.

– Na czym właściwie polega inspekcja? – spytała Wioletka.

– Jak to na czym? Przyłażą i patrzą człowiekowi na ręce – wzruszył ramionami Hal, kierując się z powrotem do hali archiwum. – Bierzmy się lepiej do roboty. Zostało nam jeszcze dużo informacji do skatalogowania.

– Zaraz tam przyjdziemy – obiecał Klaus. – Tylko skończę owoce.

– Tylko szybko – burknął Hal i wyszedł.

Baudelaire'owie spojrzeli po sobie z niepokojem i zgrozą.

– Znowu nas znalazł – powiedziała Wioletka, bardzo cicho, żeby Hal nie usłyszał. Serce tak waliło jej w piersi, że sama ledwo słyszała własny głos.

– Skądś się musiał dowiedzieć, gdzie jesteśmy – odszepnął Klaus. – Dlatego zarządził inspekcję – żeby nas tu wytropić i wreszcie dopaść.

– Powi! – pisnęło Słoneczko.

– Komu mamy powiedzieć? – spytał bezradnie Klaus. – Wszyscy myślą, że Hrabia Olaf nie żyje. Nikt nie uwierzy trzem sierotom, które twierdzą, że Hrabia Olaf przebrał się za Matateusza, nowego Szefa Kadr Szpitala Schnitzel.

– Szczególnie jeśli są to sieroty poszukiwane listem gończym na pierwszej stronie „Dziennika Punctilio" – dodała Wioletka. – I to poszukiwane za morderstwo. Nasza jedyna szansa to dorwać akta o pożarach Snicketa i poszukać w nich dowodów, które doprowadzą Olafa przed oblicze sprawiedliwości.

– Kiedy nie wolno wynosić akt z archiwum – przypomniał jej Klaus.

– Więc sprawdzimy je na miejscu – zdecydowała twardo Wioletka.

– Łatwiej powiedzieć niż zrobić – zauważył Klaus. – Nie wiemy nawet, pod którą szukać literą, a poza tym Hal będzie się tu kręcił cały dzień.

– Noc! – pisnęło Słoneczko.

– Racja, Słoneczko! – ożywiła się Wioletka. – Hal kręci się tu cały dzień, ale na noc wraca do domu. Kiedy się ściemni, przekradniemy się tutaj z powrotem z niewykończonego skrzydła szpitala. Tylko w ten sposób mamy szanse znaleźć te akta.

– Zapomniałaś o jednym – powiedział Klaus. – Archiwum zamyka się na noc, a Hal zabiera ze sobą klucze do wszystkich szafek.

– Faktycznie, zapomniałam... – zmartwiła się Wioletka. – Jestem w stanie skonstruować jeden wytrych, ale na pewno nie wystarczy mi czasu na skonstruowanie ich tylu, ile jest zamków w szafach archiwum.

– Dzisiu! – oznajmiło Słoneczko, komunikując coś w sensie: „A mnie otwarcie jednej szafy zabiera do kilku godzin".

– Bez kluczy nie dostaniemy się do akt – westchnął Klaus – a bez akt nigdy nie pokonamy Hrabiego Olafa. Co robić?

Wszyscy troje westchnęli i z namysłem zapatrzyli się przed siebie, a kiedy tak patrzyli przed siebie z namysłem, ujrzeli coś, co im poddało pewien pomysł. Było to coś małego i okrągłego, z barwną, błyszczącą skórką – po prostu daktyl, który dzieci rozpoznały bez trudu. Wiedziały jednak, że jeżeli czyjś wzrok jest już nie ten, co dawniej, ten ktoś może z łatwością wziąć daktyl za śliwkę. Sieroty Baudelaire patrzyły jak urzeczone na owoc, a w głowach kluł im się plan oszukania pewnej osoby tak, aby pomyliła pewną rzecz z jakąś inną.

ROZDZIAŁ

# Szósty

To nie jest opowieść o Lemonym Snickecie. Nie ma sensu snuć tutaj historii Snicketa, gdyż wydarzyła się ona bardzo dawno temu i na jej zakończenie nikt już nie ma wpływu. Strzępy historii Snicketa przytaczam na marginesach niniejszej książki jedynie po to, aby uczynić naszą powieść jeszcze przykrzejszą, bardziej irytującą i niewiarygodną, niż byłaby bez marginesów. To jest opowieść o Wioletce,

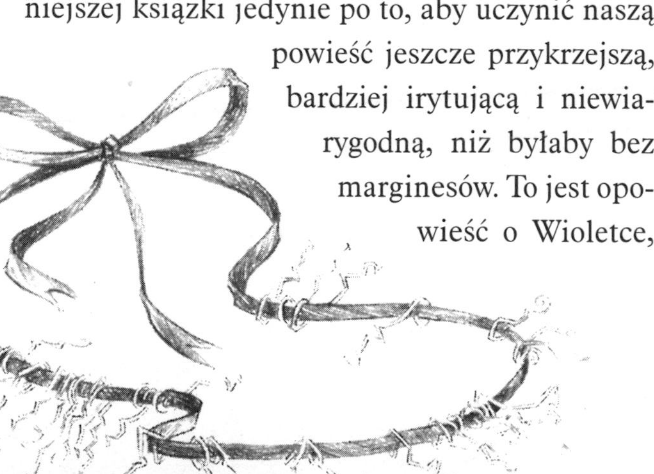

Klausie i Słoneczku Baudelaire i o tym, co odkryli oni w Archiwum Szpitala. To coś zmieniło ich życie raz na zawsze, a mnie przyprawia o zimne poty i dreszcze, ilekroć zostaję w nocy sam STOP. Gdyby to jednak była książka o mnie, a nie o trojgu dzieciach, które lada chwila staną oko w oko z kimś, kogo miały nadzieję nigdy więcej nie oglądać, to mógłbym w tym momencie przerwać na chwilę główny wątek i opowiedzieć wam, czego dopuściłem się przed laty, a co mimo upływu czasu wciąż przyprawia mnie o ścisk w dołku. Była to rzecz konieczna, ale nieprzyjemna, dlatego do dziś odczuwam skurcz żołądka, ilekroć sobie o niej przypomnę. Bywa, na przykład, że robię coś, co lubię – przechadzam się po pokładzie statku, dajmy na to, albo spoglądam przez teleskop na zorzę polarną, albo też zakradam się do księgarni i przekładam swoje książki na najwyższą półkę, żeby nikogo nie skusiły do kupna – i wtem, znienacka, przypomina mi się to, co uczyniłem, i myślę sobie: Czy było to konieczne? Czy było rzeczą absolutnie konieczną ukraść cukiernicę ze stołu Esmeraldy Szpetnej?

Sieroty Baudelaire doświadczały podobnych ścisków w dołku tego popołudnia, kończąc swą dzienną pracę w Archiwum. Wioletka, ilekroć odłożyła akta na właściwe miejsce, sprawdzała, czy ma nadal wstążkę w kieszeni, i doznawała ścisku w dołku na myśl o tym, na co ma się poważyć wraz z rodzeństwem. Klaus, ile razy wyjmował plik dokumentów z kosza u wylotu kanału informacyjnego, to zamiast odkładać spinacze biurowe do miseczki, chował je w garści, doznając ścisku w dołku na myśl o fortelu, który zaplanował wraz z siostrami. A kiedy Hal odwracał się na chwilę i Klaus przekazywał spinacze biurowe Słoneczku, najmłodsza z Baudelaire'ów doznawała ścisku w dołku na myśl o tym, jak wszyscy troje będą cichcem, pod osłoną nocy, zakradać się z powrotem do Archiwum. Zanim Hal pozamykał wszystkie szafy kluczami dyndającymi na długiej, brzęczącej pętli, wszystkie trzy sieroty Baudelaire doświadczyły już tylu ścisków w dołku, że mogłyby spokojnie uczestniczyć w Festiwalu Ścisków w Dołku, gdyby takowy odbywał się akurat w okolicy.

– Czy jest to absolutnie konieczne?

To pytanie Wioletka skierowała półgłosem do Klausa, gdy wszyscy troje wychodzili za Halem z Archiwum do pakamery. Wioletka wyjęła wstążkę z kieszeni, wygładziła ją, upewniając się, że nie ma supłów, i dodała:

– Porządni ludzie tak nie robią.

– Wiem – odparł Klaus, wyciągając ukradkiem dłoń do Słoneczka, które oddało mu uzbierane spinacze. – W dołku mnie ściska na samą myśl o tym, co mamy zrobić. Ale nie ma innego sposobu zdobycia tych akt.

– Olaf – mruknęło ponuro Słoneczko, komunikując: „Zanim zdobędzie je Matateusz".

Ledwie to rzekło, głos Matateusza zabrzmiał przez interkom.

– Uwaga uwaga! – obwieścił, a stary Hal i sieroty Baudelaire jak jeden mąż odwrócili się do głośnika. – Mówi do was Matateusz, nowy Szef

Kadr Szpitala Schnitzel. Na dzień dzisiejszy inspekcje zostały ukończone. Ciąg dalszy jutro.

– Co za bzdura – zirytował się Hal, odkładając pęk kluczy na stolik. Baudelaire'owie popatrywali to na siebie, to na klucze, a Matateusz ciągnął komunikat:

– Wiadomość druga. Każdy, kto posiada cenne przedmioty, proszony jest o zdeponowanie ich w gabinecie Szefa Kadr ze względów bezpieczeństwa. Dziękuję.

– Dla mnie cenne są te okulary – powiedział Hal, zdejmując okulary z nosa. – Ale ani mi się śni odnosić je do gabinetu Szefa Kadr. Pewnie bym ich więcej nie zobaczył.

– Pewnie tak – przytaknęła mu Wioletka, z niedowierzaniem kręcąc głową na całkowity brak żenady ze strony Matateusza, innymi słowy na „jawną próbę ograbienia pracowników szpitala z kosztowności, jakby nie dość było, że dybie na fortunę sierot Baudelaire".

– Zresztą – uśmiechnął się Hal – mnie tam na pewno nikt nic nie ukradnie. Stykam się tu w szpitalu tylko z wami trojgiem, a wam ufam całkowicie. Zaraz, zaraz, gdzie to ja położyłem klucze?

– Tutaj – powiedziała Wioletka i jeszcze mocniej ścisnęło ją w dołku.

Mówiąc to, podniosła w górę swoją związaną w pętlę wstążkę, na której pobrzękiwał gęsty wieniec spinaczy biurowych, powyginanych przez Słoneczko w fantazyjne kształty w czasie, gdy uwaga Hala zajęta była czymś innym. Całość w pewnym sensie, z daleka, przypominała pęk kluczy do Archiwum, tak jak koń w pewnym sensie, z daleka, przypomina krowę, albo kobieta w zielonej sukience z daleka przypomina sosnę, ale to nie znaczy, że ktokolwiek mógłby pomylić wstążkę Wioletki, obwieszoną obślinionymi spinaczami, z pękiem kluczy – chyba że byłby to ktoś, komu wzrok nie dopisuje już tak, jak dawniej. Sieroty Baudelaire w napięciu oczekiwały reakcji Hala na obiekt w ręku Wioletki.

– To moje klucze, na pewno? – zawahał się Hal. – Zdawało mi się, że je kładłem na stole.

– Nie, skąd – pospieszył z zapewnieniem Klaus, zasłaniając sobą stół, żeby prawdziwe klucze nie wpadły archiwiście w oko. – Wioletka je trzymała.

– O, proszę! – Wioletka zamachała Halowi spinaczami tuż przed nosem, żeby tym trudniej było mu je rozpoznać. – Chętnie sama je panu włożę do kieszeni.

– Dziękuję ci, moje dziecko – rzekł Hal, gdy obiekt z brzękiem trafił na dno kieszeni jego płaszcza. Staruszek spojrzał na dzieci, a w jego małych oczkach błysnęła autentyczna wdzięczność. – Znowu mi pomogliście. Oczy mam już nie te, co dawniej. To wielka ulga dla mnie, móc polegać na tak szlachetnych wolontariuszach. Dobranoc, dzieci. Do zobaczenia jutro.

– Dobranoc panu – odparł Klaus. – Skubniemy sobie jeszcze po owocu w pakamerze.

– Żebyście tylko nie stracili apetytu na kolację – ostrzegł ich Hal. – Zapowiadają, że wieczór będzie dzisiaj chłodny, na pewno w domu czekają na was rodzice z pysznym gorącym posiłkiem.

Archiwista z uśmiechem zamknął drzwi za sobą, pozostawiając sieroty Baudelaire z kluczami do Archiwum na stoliku i uporczywym skurczem w dołku.

– Przeprosimy go kiedyś, żeśmy go tak oszukali – powiedziała cicho Wioletka. – Wytłumaczymy mu, co nas do tego skłoniło. To był brzydki postępek, chociaż konieczny.

– I odwiedzimy sklep wielobranżowy Ostatnia Szansa, żeby wyjaśnić właścicielowi, dlaczego musieliśmy uciec – dodał Klaus.

– Wist! – oznajmiło przytomnie Słoneczko, komunikując: „Ale nie wcześniej, niż zdobędziemy akta, rozwiążemy wszystkie zagadki i dowiedziemy swojej niewinności".

– Racja, Słoneczko – westchnęła Wioletka. – Bierzmy się do dzieła. Klaus, spróbuj wyszukać klucz do drzwi głównych Archiwum.

Klaus kiwnął głową i z pękiem kluczy Hala przeniósł się pod drzwi. Nie tak dawno, gdy mieszkali u Ciotki Józefiny nad Jeziorem Łzawym, Klaus znalazł się w sytuacji, w której musiał błyskawicznie dopasować jeden z wielu kluczy do zamkniętych drzwi, dzięki czemu zdobył w tej dziedzinie niejaką wprawę. Przyjrzał się dziurce od klucza, która była bardzo krótka i bardzo wąska, a potem pękowi kluczy, na którym znalazł tylko jeden bardzo krótki i wąski klucz. Po chwili sieroty Baudelaire spacerowały już po Archiwum, penetrując ciemne przejścia między szafami.

– Zamknę drzwi – powiedział Klaus. – Na wszelki wypadek, gdyby ktoś wszedł do pakamery.

– Na przykład Matateusz – dodała Wioletka i zadrżała. – Ogłosił, że zawiesza inspekcje do jutra, ale jak go znam, na pewno węszy cały czas.

– Wapi! – pisnęło Słoneczko, komunikując: „No to się pospieszmy".

– Zacznijmy od S jak Snicket – zaproponowała Wioletka.

– Słusznie – zgodził się Klaus.

Przeszli do sekcji S i mijając szafy opisane hasłami katalogowymi, szukali tej, którą powinni otworzyć.

– Salcefia do Samarkanda – czytał Klaus. – Wszystko, co mieści się alfabetycznie między słowem „salcefia" a słowem „Samarkanda", jest w tej szafce. Skorzystamy z niej, jak będziemy szukać informacji o sałacie.

– Albo o salmonelli – wpadła mu w słowo Wioletka. – Chodźmy dalej.

Dzieci posuwały się, słysząc donośne echo własnych kroków, które odbijał niski strop pomieszczenia.

– Savonarola do Sążeń – przeczytał Klaus parę szafek dalej.

Wioletka i Słoneczko pokręciły tylko głowami, nie zwalniając kroku.

– Schab do Scheda – odczytała tym razem Wioletka. – Jeszcze nie tutaj.

– Kuma – odezwało się Słoneczko, komunikując: „Nie posiadłam jeszcze biegłej sztuki czytania, ale zdaje mi się, że tutaj jest napisane „Schubert do Schumann".

– To prawda, Słoneczko – potwierdził Klaus. – Ale to nam się nie przyda.

– Scylla do Scyt – odczytała Wioletka.

– Selen do Serdak – odczytał prawie równocześnie Klaus w dalszej części sekcji S.

– Seter do Setnik.

– Skwarek do Słonina.

– Smak do Smok.

– Smuga do Smutek.

– Smyrna do Sny.

– Snycerz do Sonet.

– Sowa do Spacja.

– Moment! – zreflektował się Klaus. – Wróć! Przecież Snicket jest między Smyrna a Sny!

– Masz rację – przyznała Wioletka, zawracając do właściwej szafy. – Tak mnie wciągnęły obco brzmiące hasła katalogu, że zapomniałam, czego szukamy. O, to tutaj: Smyrna do Sny. Miejmy nadzieję, że znajdziemy tu poszukiwane akta.

Klaus przyjrzał się dziurce od klucza i dopasował do niej klucz już za trzecim razem.

– Powinny leżeć na samym dole – powiedział. – Bliżej Snów. Sprawdźmy.

Sprawdzili. Co znaczy „sny" – wiadomo każdemu. Niewiele jest słów zbliżonych alfabetycznie do „sny", i dzieci większość z nich znalazły w katalogu. Znalazły akta z nagłówkiem SNOB, zawierające znaczną liczbę fotografii zadartych nosów. Znalazły akta z nagłówkiem SNELLA PRAWO, w myśl którego przy przejściu promienia światła z jednego jednorodnego ośrodka do drugiego stosunek sinusów kąta padania promieni fali α i kąta załamania β na granicy dwóch ośrodków równy jest stosunkowi prędkości fali w tych ośrodkach – o czym Klaus wiedział już wcześniej. Znaleźli akta z nagłówkiem SNOWBOARDU WYNALAZCA, co wprawiło w zachwyt Wioletkę, oraz akta z nagłówkiem SNOPOWIĄZAŁKI, które zaciekawiły Słoneczko, ze względu na mnogość sznurków do przegryzania. Nie znaleźli jednak ani świstka z nagłówkiem SNICKET. Z westchnieniem rozczarowania domknęli szufladę, żeby Klaus mógł z powrotem zamknąć szafę na klucz.

– Spróbujmy pod J jak Jacques – zaproponowała Wioletka.

– Ćśśś! – powiedziało Słoneczko.

– Nie, Słoneczko, nie zgadzam się, że lepiej sprawdzić pod Ć – sprzeciwił się łagodnie Klaus. – Dlaczego Snicket miałby figurować pod Ć?

– Ćśśś! – upierało się Słoneczko, wskazując drzwi. Wioletka z Klausem w mig pojęli swój błąd. Zazwyczaj, gdy Sloneczko mówiło „ćśśś", to znaczyło: „Uważam, że należy szukać pod literą ć". Tym razem jednak komunikowało raczej coś w sensie: „Cicho bądźcie! Zdaje się, że ktoś wszedł do przedpokoju". I rzeczywiście: gdy nadstawili ucha, wszyscy usłyszeli z tamtej strony osobliwy, nierytmiczny tupot, jakby ktoś chodził tam na bardzo cienkich szczudłach. Kroki zbliżały się do drzwi, nagle ucichły, a dzieci wstrzymały oddech. Po chwili drzwi Archiwum zadrżały, bo ktoś zaczął gwałtownie szarpać za klamkę.

– Może to Hal próbuje otworzyć sobie spinaczem biurowym – szepnęła Wioletka.

– A może to Matateusz nas szuka – szepnął Klaus.

– Cieć! – szepnęło Słoneczko.

– Ktokolwiek to jest – zdecydowała Wioletka – przenieśmy się czym prędzej do sekcji J.

Baudelaire'owie przemknęli na paluszkach do sekcji J i przemierzyli pospiesznie pasaż, odczytując hasła na szafach.

– JABŁOŃ do JACENTY.

– JACHT do JAD KIEŁBASIANY.

– Mersi!

– Oczywiście! – szepnął Klaus – Jacques będzie tutaj, między jachtem a jadem kiełbasianym.

– Miejmy taką nadzieję – odszepnęła Wioletka.

Drzwi załomotały na nowo. Klaus błyskawicznie znalazł właściwy klucz i wszyscy troje zabrali się do przeglądania akt szafy. Tym razem hasła mówiły same za siebie. Jabłoń to, jak wiadomo, drzewo owocowe, Jacenty – mało popularne imię męskie, jacht – nieduża jednostka pływająca, a jad kiełbasiany – śmiercionośna trucizna, która, jak sama nazwa wskazuje, trafia się w wędlinach. Między jabłonią a jadem kiełbasianym nie było jednak ani ścinka akt dotyczących Jacques'a.

– Pożar! – szepnął Klaus, zamykając z powrotem szafę na klucz. – Chodźmy sprawdzić pod P jak POŻAR.

– I to szybko! – dodała Wioletka. – Zdaje mi się, że ten ktoś w pakamerze próbuje otworzyć drzwi wytrychem.

Istotnie: nadstawiwszy ucha, Baudelaire'owie usłyszeli ciche chrobotanie w zamku drzwi, jakby ktoś gmerał w nim długim i cienkim przedmiotem.

Wioletka wiedziała z doświadczenia, nabytego w czasach gdy wraz z rodzeństwem przebywała u Wujcia Monty'ego, że wytrychem nie da się operować szybko, choćby nawet wykonany został przez jedną z najzdolniejszych wynalazczyń na świecie – mimo to dzieci przebiegły jak najszybciej na paluszkach do sekcji P.

– PABLO PICASSO do PACHOLĘ.

– PANIKA do PAZUR.

– PĄS do PECH.

– PEKARI do PĘDZEL.

– POZYTYWIZM do POŻYCZKA – tu jest!

Po raz kolejny Baudelaire'owie znaleźli klucz do szafy, potem właściwą szufladę, a w niej właściwą teczkę. „Pozytywizm" to termin literacki odnoszony do przełomu dziewiętnastego i dwudziestego wieku, „pekari" natomiast to ssak parzystokopytny pokrewny świniom. Ale nigdzie między Pablem Picasso a Pożyczką nie natknęli się Baudelaire'owie na słowo Pożar.

– Co teraz? – spytała Wioletka, a drzwi znów załomotały niebezpiecznie. – Gdzie jeszcze możemy szukać?

– Pomyślmy – poradził Klaus. – Przypomnijmy sobie, co Hal powiedział o tych aktach. Wiadomo, że dotyczą Jacques'a Snicketa i pożaru.

– Brem! – powiedziało Słoneczko, komunikując: „No tak, ale pod Snicket, Jacques i Pożar już sprawdzaliśmy".

– Musi być jeszcze jakiś trop – orzekła Wioletka. – Musimy znaleźć te akta. Tam są wszystkie istotne informacje na temat Jacques'a Snicketa i WZS.

– I o nas – dodał Klaus. – Nie zapominaj o nas.

Sieroty popatrzyły po sobie.

– Baudelaire! – szepnęło Słoneczko.

Bez słowa rzucili się wszyscy troje do sekcji B, tam minęli biegiem szafy BABA do BABILON, BAKTERIA do BALET, BAMBUS do BASKERVILLE – i zatrzymali się dopiero przy BATMIAN do BAWARSKI KREM. Przy akompaniamencie chrobotów od drzwi Archiwum Klaus przymierzył na próżno aż dziewięć kluczy, zanim wreszcie otworzył szafę. W dolnej szufladzie, między starożytną wagą tatarską a wyśmienitym nadzieniem do pączków, tkwiła aktówka z nagłówkiem BAUDELAIRE.

– Jest! – powiedział Klaus, wydobywając znalezisko z szuflady drżącymi rękami.

– Czytaj, czytaj! – ekscytowała się Wioletka.

– Patrzcie! – rzekł Klaus. – Tu jest jakaś kartka.

– Czyta! – ponagliło go panicznym szeptem Słoneczko, bo drzwi łomotały już tak dziko, jakby ledwo trzymały się na zawiasach. Osoba po drugiej stronie, kimkolwiek była, miała już widać serdecznie dość użerania się z zamkiem.

Klaus podniósł wyżej aktówkę, żeby w marnym świetle odczytać notatkę.

– „Wszystkie trzynaście stron akt Snicketa – odcyfrował z trudem – usunięto z Archiwum na wniosek komisji śledczej". – Spojrzał na siostry, a w jego oczach za okularami błysnęły łzy. – To w tej teczce musiał Hal widzieć nasze zdjęcie. Na pewno wtedy, kiedy wyjmował ją z szafy na wniosek komisji śledczej. – Rzucił teczkę na ziemię i sam usiadł koło niej, zrozpaczony. – Tam nic nie ma.

– Owszem, jest! – zaprzeczyła bratu Wiloletka. – Patrzcie!

Klaus i Słoneczko skierowali wzrok na otwartą, porzuconą przez Klausa aktówkę: zza kartki z druzgocącą informacją wysunęła się jeszcze jedna.

– Trzynasta strona – rzekła Wioletka, sprawdziwszy numer w prawym dolnym rogu. – Komisja śledcza musiała ją zostawić przez pomyłkę.

– Dlatego właśnie trzeba zawsze spinać dokumenty – zauważył Klaus. – Nawet jeżeli są przechowywane w teczce. A co jest napisane na tej stronie?

Z donośnym trzaskiem i hukiem drzwi Archiwum wyskoczyły z zawiasów i padły płasko na podłogę wielkiej sali, jakby zemdlały z wrażenia. Dzieci jednak nawet nie zwróciły na to uwagi. Wpatrywały się jak zaklęte w stronę trzynastą akt swojej rodziny, zanadto oszołomione, aby miały nasłuchiwać osobliwych, nierytmicznych kroków intruza, który już znajdował się w sali Archiwum i przeszukiwał kolejne działy.

Strona trzynasta akt Baudelaire'ów nie była przeładowana: znajdowało się na niej tylko jedno przypięte zszywaczem zdjęcie, a nad nim jedno zdanie napisane na maszynie. Czasami jednak wystarczy jedno zdjęcie i jedno zdanie, aby na widok takiej strony pisarz zalał się łzami, choć od momentu zrobienia zdjęcia minęły lata, albo też aby trzy nieszczęsne sieroty usiadły i patrzyły w taką stronę jak zaklęte, jakby na tej jednej jedynej stronie wydrukowana była cała gruba księga.

Zdjęcie przedstawiało cztery osoby, stojące razem przed budynkiem, w którym Baudelaire'owie bez trudu rozpoznali dom pod numerem 667 w Alei Ciemnej. Mieszkali tam, dość krótko co prawda, u Jeremiego i Esmeraldy Szpetnych, aż okazało się, że jest to dla nich kolejne niebezpieczne miejsce i musieli się przenieść. Pierwszy z lewej stał na zdjęciu Jacques Snicket i uśmiechał się prosto do kamery. Mężczyzna stojący obok niego, wręcz przeciwnie, odwrócił się od fotografa, więc na zdjęciu nie było widać jego twarzy, ale widać było ręce, a w nich notes i pióro, z czego można było wnioskować, że tajemniczy osobnik zajmuje się, być może, pisaniem. Sieroty Baudelaire nie widziały Snicketa od dnia poprzedzającego morderstwo, którego padł ofiarą, a domniemanego pisarza chyba nigdy nie oglądały na oczy. Lecz obok tych dwóch panów na zdjęciu stała para ludzi znanych sierotom Baudelaire bardzo dobrze – ludzi, których sieroty Baudelaire nie spodziewały się zobaczyć już nigdy. Opatuleni w długie płaszcze, zziębnięci, ale najwyraźniej szczęśliwi, stali tam ich rodzice.

– „Na podstawie dowodów opisanych szczegółowo na str. 9 – głosił tekst nad zdjęciem – eksperci przychylają się do opinii, że z pożaru przypuszczalnie ocalała jedna osoba, lecz miejsce jej aktualnego pobytu jest nieznane”.

ROZDZIAŁ

# Siódmy

– Nigdy nie myślałam, że dożyję tego dnia – powiedziała Wioletka, po raz kolejny spoglądając na stronę trzynastą. Rodzice odpowiedzieli jej spojrzeniem i przez krótką chwilę zdawało się Wioletce, że ojciec lada chwila wystąpi z fotografii i powie do niej: „Więc tu jesteś, Ed. Gdzieżeś się podziewała?”

Imię Ed było zdrobnieniem od Tomasz Alva Edison – imienia i nazwiska jednego z największych wynalazców wszech czasów. Tego specjalnego przydomka używał wobec Wioletki tylko jej ojciec. Lecz, oczywiście, pan z fotografii ani drgnął, stał tylko dalej i uśmiechał się na tle budynku przy Alei Ciemnej 667.

– Ja też nie – powiedział Klaus. – Nigdy nie myślałem, że jeszcze kiedyś zobaczymy rodziców.

Średni brat Baudelaire patrzył przy tym na płaszcz swojej matki, który miał od wewnętrznej strony sekretną kieszeń. W tej sekretnej kieszeni mama nosiła często podręczny słownik, który wyjmowała, ilekroć natrafiła na nieznane sobie słowo. Ponieważ Klaus był zapalonym czytelnikiem, mama obiecywała, że ofiaruje mu kiedyś ten słownik. Teraz więc zdawało się Klausowi, że mama zaraz sięgnie za pazuchę i wręczy mu nieduży, oprawny w skórę tomik.

– Ani ja – powiedziało Słoneczko. Patrzyło na uśmiechnięte twarze rodziców i nagle przypomniało sobie, po raz pierwszy od pożaru, piosenkę, którą mama i tata śpiewali razem, gdy przychodziła pora układania Słoneczka do snu.

Piosenka nazywała się *Chłopak od rzeźnika*. Rodzice Słoneczka na zmianę śpiewali kolejne zwrotki: mama śpiewała głosem wysokim i dźwięcznym, a tata niskim i głębokim jak syrena okrętowa. *Chłopak od rzeźnika* był dla Słoneczka idealnym akcentem na koniec dnia, kiedy leżało sobie otulone kołderką w kołysce Baudelaire'ów.

– To zdjęcie zrobiono chyba bardzo dawno temu – stwierdziła Wioletka. – Spójrzcie, jak młodo wyglądają. Nie mają nawet jeszcze obrączek.

– „Na podstawie dowodów opisanych szczegółowo na str. 9 – zacytował Klaus tekst wydrukowany nad zdjęciem – eksperci przychylają się do opinii, że z pożaru przypuszczalnie ocalała jedna osoba, lecz miejsce jej aktualnego pobytu jest nieznane". – Przerwał i przeniósł wzrok na siostry. – Co to może znaczyć? – spytał przez ściśnięte gardło. – Czyżby jedno z naszych rodziców przeżyło?

– Ładne rzeczy! – zabrzmiał znany dzieciom, szyderczy głos. Rytmiczne tupanie kierowało się teraz wprost ku nim. – Kogo my tu widzimy?

Sieroty Baudelaire tak były zszokowane swoim znaleziskiem, że całkiem zapomniały o osobie usiłującej włamać się do Archiwum. Dopiero teraz odwróciły się i ujrzały wysoką, chudą postać, zbliżającą się ku nim sektorem B pomiędzy szafami STOP. Postać tę widziały całkiem niedawno i miały nadzieję nigdy więcej jej nie oglądać. Przedstawić ją można na wiele sposobów, na przykład „narzeczona Hrabiego Olafa" albo „była opiekunka sierot Baudelaire", albo „szósta najważniejsza doradczyni finansowa w mieście", albo „była właścicielka apartamentu przy Alei Ciemnej 667"; istnieje jeszcze kilka innych określeń, które ze względu na dosadność nie nadają się do druku. Ona sama wolała przedstawiać się imieniem, które w tej oto chwili wyślizgnęło się jak żmija z jej uszminkowanych ust.

– To ja, Esmeralda Gigi Genowefa Szpetna – oznajmiła, tak jakby Baudelaire'owie mogli ją kiedykolwiek zapomnieć, choćby się nie wiem jak starali. Zatrzymała się tuż przed dziećmi, które natychmiast dostrzegły, dlaczego odgłos jej kroków był tak osobliwy i nierytmiczny. Odkąd ją pamiętały, Esmeralda Szpetna była zawsze niewolnicą mody, co tu oznacza: „ubierała się w niewiarygodnie drogie, i równie niepraktyczne, stroje”. Tego wieczoru miała na sobie długi płaszcz, uszyty z licznych skórek zwierząt pozabijanych na rozmaite wymyślne a przykre sposoby, w ręku zaś niosła torebkę w kształcie oka, bardzo przypominającego tatuaż na lewej nodze jej narzeczonego. Na głowie miała kapelusz z małą woalką, która zwisała jej na twarz jak czarna koronkowa chusteczka do nosa, przed chwilą użyta i zapomniana, na nogach natomiast nosiła wysokie szpilki. Szpilki to akcesoria krawieckie przypominające miniaturowe szpady. Tu jednak słowa „szpilka” używamy na określenie buta damskiego na bardzo wysokim i cienkim obcasie. W przypadku Esmeraldy Szpetnej szpilki były butami zaopatrzonymi w autentyczne miniaturowe szpady w miejscach obcasów. Szpady te przy każdym kroku Esmeraldy kaleczyły podłogę Archiwum, a chwilami wbijały się w nią i utykały na dobre, więc ta podła kobieta musiała co rusz przystawać i wyszarpywać szpilki z podłogi – dlatego właśnie jej tupot był tak osobliwy i nierytmiczny. Szpilki Esmeraldy Szpetnej były ostatnim krzykiem mody, o czym Baudelaire'owie nie wiedzieli, gdyż mieli ważniejsze zajęcia niż przeglądanie magazynów mód, więc patrzyli w zdumieniu na buty Esmeraldy i dziwili się, dlaczego nosi ona obuwie tak przykre dla otoczenia i tak niepraktyczne.

– Co za miła niespodzianka – ciągnęła Esmeralda. – Olaf kazał mi się tu włamać i zniszczyć akta Baudelaire'ów, ale widzę, że mogę przy okazji zlikwidować i samych Baudelaire'ów.

Dzieci przeżyły szok.

– Więc wy z Olafem wiecie o tych aktach? – spytała Wioletka.

Esmeralda zaśmiała się wyjątkowo nieprzyjemnie, a spoza woalki mignął wyjątkowo niemiły grymas jej uszminkowanych ust.

– Oczywiście – wycedziła. – Po to tu przyszłam, żeby je zniszczyć – wszystkie trzynaście stron.

Esmeralda Szpetna postąpiła jeden chwiejny krok w stronę Baudelaire'ów.

– Dlatego zlikwidowaliśmy Jacques'a Snicketa.

Dała jeszcze jeden bolesny krok w podłogę.

– Dlatego zamierzamy zlikwidować was.

Spojrzała na swój but i dzikim szarpnięciem uwolniła szpilę obcasa z podłogi archiwum.

– Szpital Schintzel wzbogaci się o troje nowych pacjentów, ale obawiam się, że będzie już za późno i żaden doktor nie zdoła ich uratować.

Klaus wyprostował się i ruszył za siostrami, które już wycofywały się krok za krokiem przed niewolnicą mody, nadciągającą powoli w ich stronę.

– Kto przeżył pożar? – spytał Esmeraldę, podnosząc w górę trzynastą stronę akt. – Czy jedno z naszych rodziców żyje?

Esmeralda zmarszczyła brwi i zakolebała się na wyniosłych obcasach, próbując wyrwać Klausowi kartkę.

– Czytaliście akta? – spytała strasznym głosem. – Co w nich jest?

– Nigdy się tego nie dowiesz! – krzyknęła Wioletka i odwróciła się do rodzeństwa: – Uciekajmy!

Baudelaire'owie pognali przejściem między szafami, mijając pozostałe hasła na literę B. Tuż przed zakrętem mignął im napis: BYDLĘ do BYRON – i już znaleźli się w dziale archiwalnym C.

– Uciekamy w złą stronę – zauważył Klaus.

– Egres – potwierdziło Słoneczko, komunikując: „Klaus ma rację, wyjście jest z tamtej strony".

– Esmeralda tak samo – odparła Wioletka. – Musimy jakoś ją ominąć.

– Zaraz was dopadnę! – wrzeszczała Esmeralda, a jej głos niósł się nad szafkami. – Nie uciekniecie mi, sieroty!

Baudelaire'owie zatrzymali się na moment przy szafce z napisem CONDY'EGO PŁYN do CONSTANS – chodzi o skomplikowany związek chemiczny i stałą matematyczną – nasłuchując tupotu pościgu.

– Całe szczęście – rzekł Klaus – że ona nosi te głupie buty. Biega o wiele wolniej od nas.

– Dopóki ich nie zdejmie – zauważyła Wioletka. – Jest prawie tak samo sprytna, jak chciwa.

– Ćśśś! – szepnęło Słoneczko.

Baudelaire'owie ucichli. Kroki Esmeraldy tak samo. Dzieci zbiły się w gromadkę. Usłyszały, jak Esmeralda Szpetna mamrocze coś pod nosem, a zaraz potem całą salą zatrzęsła obłędna kakofonia dźwięków. Dźwięki te układały się w sekwencje: przeciągły zgrzyt – a po nim straszny huk, i znowu zgrzyt – i znowu huk, i tak co chwila, coraz głośniej i głośniej.

Dzieci popatrzyły po sobie, nic nie rozumiejąc, lecz nagle, w mgnieniu oka, najstarsza z Baudelaire'ów pojęła źródło rumoru.

– Przewraca szafy! – krzyknęła Wioletka, wskazując palcem na szczyt szafy z tabliczką KONFETTI do KONSEKRACJA. – Padają jak kostki domina!

Klaus i Słoneczko spojrzeli tam, gdzie wskazywała siostra, i upewnili się, że Wioletka ma rację. Esmeralda przewracała jedną szafę na drugą, druga przewracała następną, i tak dalej – walące się stalowe szafy nacierały na sieroty Baudelaire niczym wszechwładna fala przypływu na brzeg lądu. Wioletka pochwyciła brata i siostrę za ręce i odciągnęła spod nawałnicy szaf. Z gromkim zgrzytem i hukiem blok szaf runął dokładnie na to miejsce, gdzie przed chwilą stali. Dzieci odetchnęły w ulgą, uniknąwszy zmiażdżenia między aktami na temat całek, chemii organicznej, chronometrów i dwustu innych obiektów ludzkich zainteresowań.

– Zmiażdżę was! – darła się Esmeralda Szpetna, ruszając z posad kolejny rząd stalowych szaf. – Olaf i ja zjemy sobie romantyczne śniadanie: naleśniki z Baudelaire'ów!

– Gazu! – pisnęło Słoneczko, chociaż Wioletki i Klausa wcale nie trzeba było popędzać. Cała trójka przemknęła jak wicher szpalerem walących się ze zgrzytem i hukiem szaf działu C.

– Dokąd teraz? – krzyknęła Wioletka.

– Do De! – odkrzyknął Klaus, ale zaraz mienił zdanie, bo zobaczył, że stalowe szafy działu D już się chwieją. – Nie! Do Wu!

– U? – nie dosłyszała Wioletka, bo huk był straszliwy.

– Nie! Wu! Jak WYJŚCIE!

Baudelaire'owie pognali do działu W jak WYJŚCIE, ale gdy dotarli do jego końca, cały dział zmienił się nagle w sekcję U jak UPADEK SZAF – a więc do G jak GAZU W DRUGĄ STRONĘ! I dalej, do J, czyli JAK SIĘ STĄD WYDOSTAĆ? Wkrótce dzieci znalazły się najdalej od pakamery, jak to było możliwe w sali archiwum. W huku walących się szaf i dzikim tupocie szpilek ścigającej ich Esmeraldy sieroty Baudelaire zatrzymały się w tym miejscu Archiwum, do którego napływały informacje. Spojrzały najpierw na kosz z papierami, potem na miskę ze spinaczami biurowymi, a potem na ujście kanału informacyjnego. Na koniec spojrzały na siebie.

– Wioletko – rzekł z wahaniem Klaus. – Czy sądzisz, że byłabyś w stanie skonstruować ze spinaczy biurowych i koszyka jakiś wynalazek, który pomógłby nam się stąd wydostać?

– Nie warto – odparła Wioletka. – Mamy przecież wyjście: kanał informacyjny.

– Przecież się tam nie zmieścisz – powiedział Klaus. – Nawet ja nie jestem pewien, czy się zmieszczę.

– Nie wyjdziecie stąd żywi, imbecyle! – wrzasnęła Esmeralda głosem skrzekliwym jak zgrzyt żelaza po szkle.

– Musimy spróbować – zdecydowała Wioletka. – Słoneczko, ty pierwsza.

– Pasimito? – zawahało się Słoneczko. Zapuściło się jednak w kanał informacyjny bez najmniejszego trudu i z ciemności wypatrywało rodzeństwa.

– Teraz ty, Klaus – zarządziła Wioletka. Klaus schował okulary, żeby przypadkiem się nie stłukły, i wstąpił w czeluść za Słoneczkiem. Ciasno mu było i musiał trochę manewrować, ale w końcu przecisnął się jakoś przez ciasne gardło kanału informacyjnego.

– Nie uda się – przemówił z wnętrza do Wioletki. – Kanał biegnie ukośnie, ciężko będzie się

JABŁKO
JEZIORO ŁZAWE
JADOWITE ŻMIJE
JĄKANIE
JAJKO
AKCJE
Mecenat Mnożenia Mamony
JĄKANIE
JĘZYK
LIST GOŃCZY
JIDYSZ
JIPIJAPA

nim wspinać. Poza tym, ty się tutaj na pewno nie zmieścisz.

– To wyjdę inną drogą – zapewniła go Wioletka. Głos miała spokojny, ale Klaus i Słoneczko widzieli z kanału, że oczy siostry zogromniały z lęku.

– Wykluczone – rzekł twardo Klaus. – Wychodzimy stąd i uciekamy wszyscy razem.

– To zbyt ryzykowne – powiedziała Wioletka. – A gdy się rozdzielimy, Esmeralda nas nie złapie. Wy dwoje bierzcie stronę trzynastą i wychodźcie kanałem, a ja poszukam innej drogi. Spotkamy się w niedokończonym skrzydle szpitala.

– Nie! – pisnęło Słoneczko.

– Słoneczko ma rację – dodał Klaus. – Tak było z Bagiennymi, nie pamiętasz? Zostawiliśmy ich na chwilę i zaraz ich porwali.

– Bagienni są już bezpieczni – przypomniała mu Wioletka. – Nie martwcie się, znajdę jakieś wyjście.

Najstarsza z Baudelaire'ów uśmiechnęła się z trudem do brata i siostry, po czym sięgnęła do kieszeni po wstążkę, aby związać nią włosy i tym sposobem uruchomić dźwignie i trybiki swego twórczego umysłu. Wstążki jednak nie było w kieszeni. Szukając jej na dnie drżącymi palcami, Wioletka przypomniała sobie, że przecież na wstążce zawiesiła fałszywe klucze dla Hala. Ścisnęło ją na to w dołku, ale nie miała czasu robić sobie wyrzutów z powodu brzydkiego podstępu wobec archiwisty. Ze zgrozą usłyszała nagle tuż za uchem zgrzyt – i uskoczyła w samą porę przed hukiem i zmiażdżeniem. Stalowa szafa z tabliczką LINGWISTYKA do LIPA zwaliła się na ścianę, blokując ujście kanału informacyjnego.

– Wiolet! – pisnęło dramatycznie Słoneczko.

Do spółki z bratem spróbowało odepchnąć szafę, ale siła trzynastolatka i niemowlęcia okazała się niczym wobec stalowej szafy, zawierającej w sobie wszystko, co dotyczy historii języka i innych spraw – aż po drzewa liściaste strefy umiarkowanej.

– Nic mi nie jest! – krzyknęła do nich Wioletka.

– Ale zaraz będzie! – zawtórowała jej szyderczo Esmeralda zza paru zaledwie rzędów szaf.

Klaus i Słoneczko usłyszeli w ciemnym kanale stłumiony głos siostry, która wołała do nich na pożegnanie:

– Nie martwcie się o mnie! Spotkamy się w naszym obskurnym, nieodpowiednim domu!

Dwoje młodszych Baudelaire'ów przytuliło się do siebie na końcu kanału informacyjnego, ale ich przerażenia i rozpaczy nie jestem w stanie opisać. Nie ma zresztą sensu opisywać, jak straszny był dla Klausa i Słoneczka paniczny odgłos kroków Wioletki, oddalającej się w głąb sali Archiwum. Albo jak strasznie brzmiał w ich uszach dźwięk osobliwych, nierytmicznych kroków Esmeraldy, ścigającej najstarszą latorośl Baudelaire'ów w butach na szpilkach, a po drodze z wielkim zgrzytem i hukiem wywracającej stalowe szafy. Nie ma też sensu opisywać ciasnej i trudnej drogi, którą pozostała dwójka Baudelaire'ów musiała przebyć kanałem informacyjnym, biegnącym tak stromo, że Klausowi i Słoneczku zdawało się, iż pokonują wielką górę pokrytą lodem, a nie stosunkowo niedługi kanał używany do deponowania informacji. I tak nic nie wyjdzie z prób opisania, jak poczuli się Klaus i Słoneczko, gdy dotarli do końca kanału informacyjnego, który okazał się otworem w zewnętrznej ścianie Szpitala Schnitzel, i stwierdzili, że Hal miał rację, uprzedzając ich, że wieczór będzie wyjątkowo zimny.

A już całkiem płonne – co tutaj znaczy: „bezcelowe, bezsensowne i niepotrzebne, bo nie ma po temu żadnego powodu" – byłoby opisywanie, jak się czuli Słoneczko i Klaus, gdy siedzieli w niedokończonym skrzydle szpitala, okutani w płachty malarskie dla ochrony przed zimnem, otoczeni zapalonymi latarkami dla ochrony przed samotnością, i oczekujący powrotu Wioletki – skoro ani Klaus, ani Słoneczko sami się nad tym nie zastanawiali.

Dwoje młodszych Baudelaire'ów siedziało ramię w ramię, strzegąc strony trzynastej znalezionych akt. Noc ciągnęła się z godziny na godzinę, ale Klaus i Słoneczko nie myśleli wcale o hałasach dobiegających z Archiwum ani o odbytej dopiero co przeprawie przez kanał, ani nawet o lodowatym przeciągu, który przenikał plastikowe płachty i ziębił ich do szpiku kości. Klaus i Słoneczko myśleli o tym, co powiedziała Wioletka na widok kartki, którą oni oboje trzymali teraz w rękach.

– Nigdy nie myślałam, że dożyję tego dnia – tak brzmiały słowa Wioletki.

Dla jej brata i siostry jasne było wtedy, że słowa te znaczą: „Jestem zdumiona!" albo: „W głowie się nie mieści!", albo: „Oczom własnym nie wierzę!". Teraz jednak, czekając na nią z narastającym niepokojem, Klaus i Słoneczko coraz bardziej obawiali się, że słowa Wioletki mogą okazać się znacznie bardziej dosłowne, niż ona sama przypuszczała. Na widok pierwszych bladych promieni słońca na niedoszłej ścianie niedokończonego skrzydła Szpitala Schnitzel Klaus i Słoneczko Baudelaire z przerażeniem pomyśleli, że ich starsza siostra być może rzeczywiście nie dożyje tego dnia.

## *R O Z D Z I A Ł*
## Ósmy

Szpital Schnitzel dziś już nie istnieje i prawdopodobnie nigdy nie zostanie odbudowany. Kto chciałby zwiedzić jego ruiny, musi namówić miejscowego gospodarza do wypożyczenia muła na przejażdżkę, gdyż nikt z okolicznych mieszkańców nie zapuszcza się dalej niż na odległość dwunastu mil od rumowiska – zresztą, na miejscu widać,

że trudno im się dziwić. Nieliczne ocalałe szczątki budynku porasta cierniowy bluszcz z gatunku kudzu, który utrudnia rozpoznanie kształtu szpitala takim, jakim był on w dniu przyjazdu Baudelaire'ów furgonetką WZS. Zawiłe plany budynku pozdzierano już dawno ze ścian wzdłuż zbutwiałych schodów, tak że niełatwo wyobrazić sobie, jak trudno było swego czasu trafić gdziekolwiek w obrębie szpitala. Interkom rozpadł się w drobny mak i zostało z niego tylko parę obitych głośników pomiędzy gruzami, więc zwiedzający ruiny nie mają pojęcia, jak niepokojąco zabrzmiał w uszach Klausa i Słoneczka ostatni komunikat Matateusza.

– Uwaga uwaga! – zagrzmiał Matateusz.

W niewykończonej części szpitala głośników oczywiście nie było, więc dwójka młodszych Baudelaire'ów musiała dobrze nadstawić ucha, aby wyłowić treść komunikatu ze skrzekliwego głosu wroga, dobiegającego z najbliższego głośnika na zewnątrz budynku. – Uwaga uwaga! Mówi do was Matateusz, Szef Kadr Szpitala Schnitzel. Odwołuję dalsze inspekcje. To, czego szukaliśmy, zostało znalezione.

Nastąpiła pauza: Matateusz chyba odsunął się od mikrofonu, bo Klaus i Słoneczko, wytężając słuch, złowili w tle bardzo stłumiony, cienki triumfalny chichot Szefa Kadr.

– Przepraszam za przerwę w nadawaniu komunikatu – ciągnął Matateusz, opanowawszy atak śmiechu. – Kontynuuję i ostrzegam. Bądźcie czujni, gdyż na terenie szpitala widziano dwoje z trojga morderców Baudelaire – Klausa i Słon... chciałem powiedzieć, Klaudiusza i Zuzannę Baudelaire. Każdy, kto zauważy dzieci znane nam wszystkim ze zdjęć w „Dzienniku Punctilio", zobowiązany jest zatrzymać je i bezzwłocznie powiadomić policję.

Matateusz skończył przemawiać i znów się rozchichotał, aż nagle uszu dzieci dobiegł z głośnika szept Esmeraldy Szpetnej:

– Kochanie, zapomniałeś wyłączyć mikrofon.

Pstryknęło i zapadła cisza.

– Złapali ją – powiedział Klaus.

Chociaż słońce już wzeszło i w niedokończonym skrzydle szpitala zrobiło się nieco cieplej, Klaus zadrżał mimo woli.

– Matateusz to właśnie musiał mieć na myśli, mówiąc, że znaleźli to, czego szukali.

– Grozi – rzekło ponuro Słoneczko.

– Na pewno grozi jej niebezpieczeństwo – przytaknął Klaus. – Musimy uratować Wioletkę, póki czas.

– Wim – pisnęło żałośnie Słoneczko, komunikując: „Przecież nie wiemy nawet, gdzie ona jest".

– Musi być gdzieś w szpitalu – stwierdził Klaus. – Inaczej Matateusz nie siedziałby tam o tej porze. Na pewno czyha teraz na nas, razem z Esmeraldą.

– Drań – powiedziało Słoneczko.

– I na stronę trzynastą – dodał Klaus, wyjmując ocalały fragment akt z kieszeni, gdzie go przechowywał wraz ze szczątkami notesów Bagiennych. – Idziemy, Słoneczko. Musimy znaleźć naszą siostrę i wyrwać się stąd.

– Lindersto – powiedziało Słoneczko, komunikując: „Nie będzie to łatwe. Musimy obejść szpital w jej poszukiwaniu, a w tym czasie wszyscy inni będą obchodzić szpital w poszukiwaniu nas".

– Wiem o tym – przytaknął jej z grobową miną Klaus. – Jeżeli ktoś nas rozpozna na podstawie zdjęcia w „Dzienniku Punctilio", to prędzej trafimy do więzienia niż na ślad Wioletki.

– Maska? – zagadnęło Słoneczko.

– Ale w co się przebrać? – Klaus z namysłem rozejrzał się po pomieszczeniu. – Mamy tylko parę latarek i płachty malarskie. Gdybyśmy narzucili na siebie płachty i przyczepili sobie na głowach latarki, moglibyśmy od biedy udawać sterty materiałów budowlanych.

– Gidu – odpowiedziało na to Słoneczko, komunikując: „Ale sterty materiałów budowlanych nie przechadzają się po szpitalu".

– W takim razie musimy wejść do szpitala bez przebrania – zdecydował Klaus. – Będziemy pilnie uważać.

Słoneczko przytaknęło skwapliwie, co tu oznacza: „jakby uznało, że pilnie uważać to doskonały plan", a Klaus odpowiedział mu równie skwapliwym skinieniem głowy. Kiedy jednak wyszli z niedokończonego skrzydła szpitala, skwapliwość w znacznym stopniu ich opuściła. Od pamiętnego strasznego dnia na plaży, w którym pan Poe przyniósł dzieciom wieść o pożarze, cała trójka Baudelaire'ów uważała pilnie na każdym kroku. Uważali pilnie mieszkając u Hrabiego Olafa – a mimo to Słoneczko skończyło tam w klatce dyndającej za oknem na wieży. Uważali pilnie pracując w Tartaku Szczęsna Woń – a mimo to Klaus został zahipnotyzowany przez Doktor Orwell. Teraz też uważali pilnie jak nie wiem co – a mimo to szpital okazał się dla nich środowiskiem równie szkodliwym jak wszystkie poprzednie. Więc z każdym krokiem oddalającym ich od niedokończonego skrzydła Szpitala Schnitzel Klaus i Słoneczko posuwali się coraz mniej skwapliwie. Wtem jednak usłyszeli coś, co ukoiło ich dzikie serca:

*My Wolontariusze Zwalczania Schorzeń*
*Weselim się zawsze i wszędzie*
*A kto o nas powie, że smutki nam w głowie*
*Ten w wielkim będzie błędzie.*

Zza rogu wymaszerowali Wolontariusze Zwalczania Schorzeń, śpiewając swój radosny hymn i niosąc wielkie naręcza balonów w kształcie serc. Klaus i Słoneczko wymienili spojrzenia i puścili się pędem, aby dołączyć do grupy. Gdzież lepiej można się ukryć niż między ludźmi, którzy wierzą święcie, że żadna wiadomość to dobra wiadomość, i z tego powodu nie czytują gazet?

*Chodzimy do chorych w szpitalach*
*I radość wzniecamy na salach*
*Choć pacjent na stół i rżną go na pół*
*Nasz śmiech dobry nastrój ocala!*

Ku wielkiej uldze Klausa i Słoneczka wolontariusze nie zwrócili uwagi na infiltrację grupy, co tu oznacza: „na dwie obce osoby, które niepostrzeżenie wślizgnęły się w rozśpiewany tłum". Zauważyła ich tylko najbardziej rozśpiewana wolontariuszka i natychmiast wręczyła im po baloniku. Klaus i Słoneczko zasłonili sobie balonami twarze, aby każdy przechodzień dostrzegł w nich dwie osoby z rumianymi, napełnionymi helem sercami zamiast głów, a nie dwoje poszukiwanych kryminalistów wmieszanych w grupę WZS.

*I tralala, i hopsasa!*
*Bądź wesół i zdrów jak konik!*
*I hihihi, i hahaha!*
*Dla ciebie serduszko-balonik!*

Z refrenem na ustach wolontariusze wkroczyli do sali szpitalnej, celem dostarczenia pacjentom pogodnego nastroju. W sali tej, w bardzo niewygodnych metalowych łóżkach, leżało dwoje pacjentów: mężczyzna z obiema nogami w gipsie i kobieta z obiema rękami w bandażach. Nie przerywając pieśni, jeden z wolontariuszy wręczył balonik mężczyźnie, a kobiecie przyczepił taki sam balonik do opatrunku, gdyż połamane ręce nie pozwoliły jej przyjąć prezentu.

– Przepraszam pana – odezwał się schrypniętym głosem pacjent z nogami w gipsie. – Czy mógłby pan zawołać tutaj siostrę? Miałem rano dostać środek przeciwbólowy, ale nikt mi go nie przyniósł.

– A ja prosiłabym o szklankę wody – powiedziała słabym głosem kobieta z rękami w bandażach. – O ile to dla państwa niezbyt wielki kłopot.

– Przykro mi – odparł na to brodacz z WZS, przerywając na chwilę śpiew dla nastrojenia gitary. – Nie mamy czasu na takie sprawy. Musimy odwiedzić wszystkie sale, a czasu jest mało.

– Poza tym – dodał jeden z wolontariuszy, szczerząc się radośnie do pacjentów – pogodny nastrój to najlepsze lekarstwo na każdą chorobę, lepsze od środków przeciwbólowych i wody. A więc uszy do góry i pociechy z balonika!

To rzekłszy, zerknął na listę, którą trzymał w ręku.

– Następny na liście pacjentów jest Bernard Rieux, sala numer 105 oddziału zakaźnego. Pójdźmy, bracia i siostry.

Członkowie WZS wznieśli na pożegnanie radosny okrzyk i, wciąż z pieśnią na ustach, opuścili pierwszą salę. Klaus i Słoneczko wymienili dyskretnie spojrzenia zza balonów, a w ich oczach błysnęła nadzieja.

– Skoro mamy odwiedzić wszystkie sale – szepnął Klaus do siostrzyczki – to z pewnością w którejś znajdziemy Wioletkę.

– Musi – odszepnęło Słoneczko, komunikując: „Pewnie tak, chociaż widok tylu chorych nie będzie przyjemny".

*Chodzimy do chorych w szpitalach*
*I radość wzniecamy na salach*
*Choć pacjent na stół i rżną go na pół*
*Nasz śmiech dobry nastrój ocala!*

Bernard Rieux okazał się mężczyzną cierpiącym na uporczywy, suchy kaszel, który tak nim rzucał, że biedak ledwo mógł utrzymać balonik. Klaus i Słoneczko pomyśleli sobie, że dobry nawilżacz w sali przyniósłby choremu znacznie więcej pożytku niż pogodny nastrój. Podczas gdy członkowie WZS zagłuszali kaszel chorego kolejną zwrotką pieśni, brat i siostra z trudem odpierali pokusę, aby wybiec z sali, poszukać nawilżacza i dostarczyć go Bernardowi Rieux – powstrzymała ich tylko myśl, że Wioletka jest na pewno w znacznie większym niebezpieczeństwie niż kaszlący mężczyzna. Dlatego wytrwali w grupie.

*Śpiewamy wesoło od rana do nocy*
*A potem od nocy do rana*
*Śpiewamy dziewczynkom, co struły się szynką*
*I chłopcom, co stłukli kolana.*

Kolejnym pacjentem, a właściwie pacjentką, była niejaka Cyntia Vane, młoda kobieta z okropnym bólem zębów, która z pewnością wolałaby dostać coś zimnego i łatwego do przełykania zamiast balonika w kształcie serca. Klaus i Słoneczko ze współczuciem patrzyli na jej spierzchnięte usta, ale nie odważyli się pobiec po mus jabłkowy albo porcję lodów. Pamiętali przecież, że nawet w chorobie mogła czytać „Dziennik Punctilio", choćby dla zabicia szpitalnego czasu, a w takim razie rozpoznałaby ich, gdyby odsłonili twarze.

*I tralala, i hopsasa!*
*Bądź wesół i zdrów jak konik!*
*I hihihi, i hahaha!*
*Dla ciebie serduszko-balonik!*

Wolontariusze wędrowali z sali do sali, a Klaus i Słoneczko z nimi, lecz z każdym kolejnym hihihi i hahaha robiło im się ciężej na sercach, bo chociaż przemierzali z ekipą WZS dziesiątki schodów w górę i w dół, chociaż widzieli po drodze tak wiele mylących planów budynku, głośników interkomu i chorych osób – to nigdzie nie dostrzegli ani śladu swojej siostry Wioletki. Odwiedzili salę numer 201 i zaśpiewali pieśń radosną Jonaszowi Mapple, cierpiącemu na chorobę morską, potem w sali 714 wręczyli balon-serce Karolowi Andersonowi, rannemu w wypadku drogowym, odwiedzili także Klarysę Dalloway, której na oko nic nie dolegało, tylko stała i patrzyła smutno przez okno sali numer 1308. Nigdzie jednak, w żadnej z sal wizytowanych przez wolontariuszy, nie leżała Wioletka Baudelaire, cierpiąca, jak podejrzewali Klaus i Słoneczko, znacznie dotkliwiej niż którykolwiek z pozostałych pacjentów.

– Kujon – powiedziało Słoneczko, gdy wolontariusze zaczęli się wspinać na kolejne schody. Słoneczko komunikowało w ten sposób coś w sensie: „Chodzimy po szpitalu od rana, a nie zbliżyliśmy się ani o krok do uratowania naszej siostry Wioletki".

Klaus wyraził solidarność z tą opinią ponurym skinieniem głowy.

– Tak, wiem – powiedział – ale ekipa WZS ma za zadanie dotrzeć do wszystkich pacjentów Szpitala

Schnitzel. Jestem pewien, że w końcu znajdziemy Wioletkę.

– Uwaga uwaga! – ryknęły głośniki. Wolontariusze przerwali śpiew i karnie zwrócili się ku najbliższemu, aby wysłuchać komunikatu Matateusza. – Uwaga uwaga! – powtórzył Matateusz. – Dzień dzisiejszy jest historycznym dniem naszego szpitala. Dokładnie za godzinę jeden z naszych chirurgów dokona pionierskiej operacji kranioektomii na czternastoletniej pacjentce. Mamy nadzieję, że ta niezmiernie niebezpieczna operacja zakończy się sukcesem. Koniec komunikatu.

– Wioletka – mruknęło Słoneczko do brata.

– I ja tak myślę – odparł Klaus. – Nie podoba mi się to gadanie o operacji. „Kranio" oznacza czaszkę, a „ektomia" to termin medyczny oznaczający usunięcie.

– Dekap? – szepnęło ze zgrozą Słoneczko, komunikując coś w sensie: „Myślisz, że chcą urżnąć Wioletce głowę?".

– Wolę nie myśleć – wzdrygnął się Klaus. – W każdym razie dość tych spacerów i śpiewów z wolontariuszami. Musimy natychmiast znaleźć Wioletkę.

– Okej! – krzyknął gromko wolontariusz z listą. – Następna pacjentka: Emma Bovary, sala numer 2611. Zatrucie pokarmowe. Tej szczególnie potrzeba dobrego nastroju.

– Przepraszam, bracie – zwrócił się do niego Klaus, któremu słowo „brat" w stosunku do osoby prawie nieznanej z trudem przeszło przez gardło. – Czy mógłbyś mi pożyczyć na chwilę listę pacjentów?

– Oczywiście – odparł dziarsko wolontariusz. – Szczerze mówiąc, nie cierpię wyczytywać nazwisk tych wszystkich chorych, to zasmucające. Zdecydowanie wolę nosić balony.

Z radosnym uśmiechem przekazał Klausowi listę pacjentów w zamian za balonik, który wyjął mu z rąk dokładnie w chwili, gdy brodacz zaintonował kolejną zwrotkę pieśni.

*Śpiewamy niewiastom cierpiącym na ospę*
*I panom wirusem nękanym*

*A jeśli się zdarzy, że łykniesz zarazy*
*I tobie my też zaśpiewamy.*

Klaus, którego twarz została nagle odsłonięta, schował się prędko za balonem Słoneczka i tam przebiegł wzrokiem listę pacjentów.

– Tu są setki nazwisk – szepnął do siostry. – W dodatku uszeregowanych oddziałami, a nie alfabetycznie. Tu, w korytarzu, nie ma warunków do czytania, szczególnie gdy musimy się we dwójkę zmieścić za jednym balonem.

– Tamaja – zaproponowało Słoneczko, wskazując koniec korytarza. Przez „tamaja" Słoneczko komunikowało coś w sensie: „Schowajmy się w magazynie, o tam". Rzeczywiście, w końcu korytarza widać było drzwi z napisem MAGAZYN, tuż obok dwóch doktorów, którzy przystanęli na pogawędkę pod jednym z mylących planów budynku. Po chwili ekipa WZS z chóralną pieśnią na ustach ruszyła w stronę sali Emmy Bovary, a Klaus i Słoneczko podążyli w przeciwną stronę, ku magazynowi, w miarę możności kryjąc twarze za wspólnym balonem. Na szczęście dwaj lekarze byli tak pochłonięci dyskusją o ostatnim meczu w telewizji, że nie zauważyli, iż korytarzem skrada się parka poszukiwanych morderców. Zanim wolontariusze zdążyli odśpiewać:

*I tralala, i hopsasa!*
*Bądź wesół i zdrów jak konik!*
*I hihihi, i hahaha!*
*Dla ciebie serduszko-balonik!*

– Klaus i Słoneczko byli już w magazynie.

Podobnie jak dzwon kościelny, trumna lub kadź płynnej czekolady, magazyn szpitalny rzadko bywa wygodną kryjówką, a magazyn Szpitala Schnitzel nie był wyjątkiem od tej reguły. Zamknąwszy za sobą drzwi, Klaus i Słoneczko znaleźli się w ciasnej klitce, oświetlonej słabą żarówką dyndającą u powały. Na jednej ścianie wisiały rzędem na kołkach białe fartuchy, a na ścianie przeciwnej znajdował się zardzewiały zlew do mycia rąk przed zabiegiem. Resztę miejsca zajmowały wielkie puszki zawierające zupę z makaronem w kształcie liter, którą podawano pacjentom na obiad, oraz liczne pudełka gumek aptekarskich, których zastosowania w szpitalu Klaus i Słoneczko nie potrafili zrozumieć.

– No cóż – powiedział Klaus – może nie jest tu zbyt wygodnie, ale przynajmniej nikt nas nie znajdzie.

– Peś – odpowiedziało Słoneczko, komunikując coś w sensie: „Dopóki komuś nie będzie potrzebna gumka aptekarska, zupa z puszki, biały fartuch albo czyste ręce".

– Więc uważajmy na drzwi – poradził Klaus – a drugim okiem przeglądajmy listę. Jest bardzo długa, ale nareszcie mamy trochę czasu, żeby ją przestudiować. Na pewno natrafimy na nazwisko Wioletki.

– Racja – odparło Słoneczko.

Klaus położył listę na puszce z zupą i zaczął ją pospiesznie kartkować. Jak już wcześniej zauważył, lista nie była ułożona alfabetycznie, lecz oddziałami, na których leżeli chorzy na różne choroby, więc trzeba było sprawdzić każdą stronę oddzielnie, w nadziei że gdzieś natrafi się na nazwisko Wioletki Baudelaire. Przejrzawszy listę pacjentów Oddziału Bolących Gardeł, Oddziału Skręconych Karków i Oddziału Uciążliwych Wysypek, Klaus i Słoneczko sami poczuli się jak pacjenci Oddziału Ściskania w Dołku, bo nazwisko Wioletki nie widniało nigdzie. W chwiejnym blasku słabej żarówki szukali dalej, ale nie zbliżyło ich to ani o krok do ustalenia miejsca pobytu najstarszej siostry.

– Nie ma jej na liście – stwierdził Klaus, odkładając ostatnią stronę, z listą pacjentów Oddziału Zapalenia Płuc. – Jej nazwisko nigdzie nie figuruje. Jak mamy znaleźć ją w tym wielkim szpitalu, skoro nie wiemy nawet, na którym leży oddziale?

– Alias – powiedziało Słoneczko, komunikując: „A może zapisana jest pod innym nazwiskiem".

– To możliwe – nabrał nadziei Klaus i z powrotem sięgnął po listę. – Przecież Matateusz nazywa się naprawdę Hrabia Olaf. Może i dla Wioletki wymyślił jakieś nowe imię, żebyśmy nie mogli jej uratować. Tylko jak poznać, która z tych osób jest naszą Wioletką? To może przecież być każdy, od Michaiła Bułhakowa po Harukiego Murakamiego. Co robić? Gdzieś tu w szpitalu szykują się do przeprowadzenia zupełnie niepotrzebnej operacji na naszej siostrze, a my...

Przerwał mu głośny rechot, dochodzący z interkomu tuż nad ich głowami. Klaus i Słoneczko ponieśli głowy i zobaczyli głośnik przyczepiony do sufitu.

– Uwaga uwaga! – zagrzmiał Matateusz, kiedy skończył rechotać. – Doktor Flacutono proszony jest o bezzwłoczne stawienie się na Oddziale Chirurgicznym. Powtarzam, Doktor Flacutono proszony na Oddział Chirurgiczny, za chwilę przystępujemy do kranioektomii.

– Flacutono – powtórzyło Słoneczko.

– Ja też pamiętam to nazwisko – potwierdził Klaus. – Używał go jeden z asystentów Hrabiego Olafa, kiedy mieszkaliśmy w Paltryville.

– Ciopan! – pisnęło z paniką w głosie Słoneczko, komunikując: „Wioletce grozi straszne niebezpieczeństwo, musimy ją natychmiast odnaleźć".

Klaus nic na to nie odpowiedział. Oczy za okularami miał półprzymknięte, jak zawsze gdy usiłował przypomnieć sobie coś, co kiedyś czytał.

– Flacutono – wymamrotał pod nosem. – Fla-cu-to-no.

Następnie sięgnął do kieszeni, gdzie trzymał wszystkie ważne papiery, które Baudelaire'om udało się zgromadzić.

– Al Funcoot – powiedział i wyłowił spośród papierów jedną kartkę z notesu Bagiennych, tę, na której napisane było „Ana Gram". Zaraz po znalezieniu tej kartki Baudelaire'owie nie dopatrzyli się w napisie „Ana Gram" żadnego sensu. Teraz jednak Klaus spoglądał to na kartkę, to na listę pacjentów, i znów na kartkę. Potem przeniósł wzrok na Słoneczko i oczy jego zogromniały za okularami, jak zawsze gdy przeczytał coś wyjątkowo trudnego i zrozumiał, o co chodzi w tekście. – Chyba wiem, jak znaleźć Wioletkę – rzekł z namysłem – ale potrzebne nam do tego będą twoje zęby, Słoneczko.

– Tajes! – zameldowało Słoneczko, rozdziawiając buzię.

Klaus uśmiechnął się i wskazał stertę puszek z zupą alfabetową.

– Otwórz jedną puszkę – polecił. – Tylko szybko.

– Lipa? – upewniło się Słoneczko, całkiem zbite z pantałyku, czyli: „zaintrygowane, czemu u licha Klaus chce jeść zupę alfabetową w takiej chwili". Pytaniem „Lipa?" Słoneczko komunikowało: „Klaus, czemu u licha chcesz jeść zupę alfabetową w takiej chwili?".

– Wcale nie chcę jej jeść – odrzekł Klaus, podając Słoneczku jedną puszkę. – Chcę ją wylać do zlewu, prawie całą.

– Pietrisykamolawiaderechtomeksja – powiedziało Słoneczko, komunikując, jak może pamiętacie: „Przyznaję, że nie mam zielonego pojęcia, o co tu chodzi". Wypowiedziawszy to słowo po raz trzeci w życiu, zastanowiło się, czy odtąd będzie go używać tym częściej, im będzie starsze.

– To samo powiedziałaś, kiedy głowiliśmy się we trójkę nad kartkami z notesów Bagiennych – uśmiechnął się Klaus. Pokazał Słoneczku stronę z napisem „Ana Gram". – Myśleliśmy wtedy, że to czyjeś imię i nazwisko, ale to tylko taki termin literacki. Anagram to słowo utworzone przez przestawienie liter innego słowa.

– I tak pietrisykamolawiaderechtomeksja – westchnęło Słoneczko.

– Podam ci przykład – rzekł cierpliwie Klaus. – Odkryty zresztą przez Bagiennych. Popatrz, na tej samej stronie napisali: „Al Funcoot". Tak się nazywał autor *Cudownego ślubu*, pamiętasz? Tej sztuki, w której kazał nam grać Hrabia Olaf.

– Ble! – powiedziało Słoneczko, komunikując: „Nie przypominaj mi tego".

– Teraz uważaj: nazwisko „Al Funcoot" zawiera te same litrery co „Count Olaf", a „Count" to po angielsku „Hrabia". Olaf ukrył swoje nazwisko w anagramie, żeby nikt nie poznał, że to on sam napisał sztukę. Teraz rozumiesz?

– Menino – odparło Słoneczko, komunikując coś w sensie: „Tak mi się zdaje, chociaż to bardzo trudne dla osoby w moim wieku".

– To jest trudne nawet dla mnie – pocieszył siostrzyczkę Klaus. – Dlatego właśnie przyda nam się zupa alfabetowa. Hrabia Olaf stale ukrywa prawdę pod anagramami i na pewno to samo zrobił z naszą siostrą. Wioletka musi być gdzieś na tej liście, tylko pod nazwiskiem z poprzestawianymi literami. Zupa pomoże nam rozwiązać zagadkę.

– Jak to? – spytało Słoneczko.

– Ciężko jest tworzyć anagramy, kiedy nie można fizycznie przestawiać liter – wyjaśnił Klaus. – W normalnych warunkach idealnie nadają się do tego klocki albo domino z alfabetem, ale nam będą musiały wystarczyć alfabetowe kluski. A teraz pospiesz się i otwórz puszkę.

Słoneczko wyszczerzyło w uśmiechu wszystkie cztery niesamowicie ostre zęby i z rozmachem wbiło je w denko puszki, wspominając przy tym dzień, w którym opanowało sztukę samodzielnego otwierania puszek. Nie było to wcale dawno temu, chociaż zdawało się Słoneczku zamierzchłą przeszłością, gdyż dom Baudelaire'ów jeszcze wówczas stał na miejscu, a rodzina była w komplecie. Wypadły właśnie urodziny mamy, która spała sobie w najlepsze, gdy reszta domowników od samego rana piekła dla niej tort. Wioletka ubijała własnego pomysłu mikserem jajka z masłem i cukrem, Klaus przesiewał przez sito mąkę z cynamonem, co parę chwil zdejmując i przecierając okulary. A tata Baudelaire przyrządzał swój słynny lukier sernikowy, którym tort miał zostać grubo posmarowany z wierzchu. Wszystko szło jak po maśle, dopóki nie zepsuł się elektryczny otwieracz do puszek – a Wioletka nie miała akurat odpowiednich narzędzi do jego naprawy. Tacie natomiast do produkcji lukru potrzebna była natychmiast otwarta puszka skondensowanego mleka. Przez chwilę wydawało się, że z tortu urodzinowego nic nie będzie. I wtedy właśnie Słoneczko, które przez cały czas bawiło się grzecznie na podłodze – wymówiło pierwsze swoje słowo: „Gryzi!" i wbiło zęby w puszkę, robiąc cztery dziurki, którymi wypłynęło słodkie, gęste mleko. Wioletka, Klaus i tata śmiali się i klaskali, aż mama obudziła się i zeszła na dół. Od tej pory używano w domu Słoneczka do otwierania wszystkich puszek, z wyjątkiem konserwowych buraków. Wbijając teraz zęby w puszkę zupy alfabetowej, Słoneczko zadało sobie w duchu pytanie, czy to możliwe, że jedno z jego rodziców przeżyło pożar, i czy wolno żywić taką nadzieję na podstawie jednego zdania ze strony trzynastej akt Snicketa. Ciekawe było, czy rodzina Baudelaire'ów będzie kiedyś znów razem i czy jeszcze kiedyś ze śmiechem i klaskaniem w ręce Baudelaire'owie zrobią sobie wspólnie coś słodkiego i pysznego.

– Gotowe – oznajmiło w końcu.

– Brawo, Słoneczko – pochwalił Klaus. – A teraz wybierzmy kluski w kształcie liter, z których składa się imię i nazwisko Wioletki.

– Wy? – spytało Słoneczko.

– Tak, to pierwsza litera jej imienia – potwierdził brat. – Szukamy liter W I O L E T K A B A U D E L A I R E.

Oboje zanurzyli ręce w puszce pożywnej gęstej zupy z dodatkiem aromatycznych przypraw ziołowych i korzennych, i pośród zielonego groszku oraz pokrojonej w kostkę marchwi, selera, ziemniaków i papryki łowili potrzebne litery. Zupa, która od miesięcy stała w magazynie, była zimna, a kluski rozmiękłe, tak że nieraz potrzebna litera rozpadała się dzieciom w palcach, a mimo to całkiem sprawnie uzbierali W, I, O, L, E, T, K, A, B, A U, D, E, L, A, I, oraz R, a brakujące trzecie E zastąpili kawałkiem marchewki.

– Gotowe – powiedział Klaus, ułożywszy litery w stosik, żeby łatwiej je było przestawiać. – Spójrzmy teraz ponownie na listę pacjentów. Matateusz ogłosił, że oparacja odbędzie się na Oddziale Chirurgicznym, więc zacznijmy od niego.

Słoneczko wylało resztę zupy do zlewu i kiwnęło głową na zgodę. Klaus prędko znalazł spis pacjentów Oddziału Chirurgicznego i odczytał go powoli jeszcze raz:

LISA N. LOOTNDAY
ALBERT E. DEWILOEIA
LINDA RHADLEEN
ADA O. UBERWILLET
ED WALIANT BRUE
LAURA W. BLEEDIOTIE
MONTY KENSICLE
NED H. RIRGER
ERIQ PLUTHETTS
RUTH DERCROUMP
AL BRISNOW
CARRIE E. ABELABUDITE

– Raju! – złapał się za głowę. – Każde nazwisko na tej liście wygląda na anagram. Jak wybrać, zanim zrobi się za późno?

– Wy! – poradziło bratu Słoneczko.

– Racja – rzekł Klaus. – Żadne słowo bez W nie może być anagramem imienia Wioletka.

Możemy z góry wykreślić część osób, o ile znajdzie się tu jakieś pióro.

Słoneczko sięgnęło ostrożnie do kieszeni jednego z białych fartuchów, ciekawe, co też lekarz może nosić przy sobie. Znalazło tam maskę chirurgiczną, nadającą się doskonale do zasłaniania dolnej części twarzy, parę gumowych rękawic, nadających się doskonale do ochrony rąk, a na samym dnie długopis, nadający się doskonale do wykreślania z listy imion i nazwisk, które nie pasują nam do anagramu. Słoneczko z uśmiechem wręczyło długopis Klausowi, ten zaś błyskawicznie wykreślił z listy wszystkie nazwiska bez litery W. Pozostał taki oto spis:

~~LISA N. LOOTNDAY~~
ALBERT E. DEWILOEIA
~~LINDA RHADLEEN~~
ADA O. UBERWILLET
ED WALIANT BRUE
LAURA W. BLEEDIOTIE
~~MONTY KENSICLE~~

~~NED H. RIRGER~~
~~ERIQ PLUTHETTS~~
~~RUTH DERCROUMP~~
~~AL BRISNOW~~
~~CARRIE E. ABELABUDITE~~

– To bardzo uprościło sprawę – stwierdził Klaus. – Spróbujmy teraz z liter imienia i nazwiska Wioletki ułożyć napis „Albert E. Dewiloeia".

Ostrożnie, żeby ich nie porozrywać, Klaus zaczął przesuwać wyłowione z zupy litery, ale wkrótce przekonał się, że „Albert E. Dewiloeia" i „Wioletka Baudelaire" nie są całkiem anagramatyczni. Litery mieli bardzo podobne, ale nie identyczne.

– Albert E. Dewiloeia musi być prawdziwym pacjentem – zawyrokował rozczarowany Klaus. – Spróbujmy teraz z „Adą O. Uberwillet".

Znów magazyn wypełnił się kląskaniem przesuwanych klusek, przywodzącym dzieciom na myśl coś oślizłego, co wolno wyłania się z bagna. Ale i tak był to przyjemniejszy dźwięk niż ten, który przerwał Klausowi i Słoneczku próby rozszyfrowania anagramu.

– Uwaga uwaga! – głos Matateusza, skrzeczący tuż nad głowami Baudelaire'ów, brzmiał wyjątkowo wrednie. – Oddział Chirurgiczny zamyka się. Trwają przygotowania do zabiegu kranioektomii. Do chwili śmierci pacjentki – chciałem powiedzieć, do chwili zakończenia operacji wstęp na oddział ma tylko Doktor Flacutono i jego asystenci. Koniec komunikatu.

– Ekspres! – pisnęło Słoneczko.

– Tak, wiem, że musimy się spieszyć! – krzyknął zdenerwowany Klaus. – Ale już szybciej nie mogę przestawiać tych klusek! Ada O. Uberwillet też się nie zgadza!

Nachylając się nad listą pacjentów, aby sprawdzić, kto ma być następny, Klaus niechcący strącił łokciem jedną kluskę, która mokro plasnęła o podłogę. Słoneczko chciało ją podać bratu, ale kluska rozpadła mu się w rękach na dwie połowy. Teraz Baudelaire'owie zamiast O mieli w nazwisku dwa nawiasy.

– Nie szkodzi – powiedział Klaus. – Następny jest Ed Waliantbrue, który w ogóle nie ma O w nazwisku.

– O! – pisnęło Słoneczko.

– O! – potwierdził Klaus.

– O! – powtórzyło z uporem Słoneczko.

– Oo! – ucieszył się Klaus. – Już cię rozumiem! Jeżeli nie ma O, to nie może być anagramem Wioletki Baudelaire. W takim razie zostaje nam tylko Laura W. Bleediotie. To na pewno ta.

– Test! – poleciło bratu Słoneczko i wstrzymało oddech, obserwując, jak Klaus przesuwa kluski. W parę sekund najstarsza z Baudelaire'ów przeistoczyła się w Laurę W. Bleediotie, pomijając O, które Słoneczko wciąż ściskało w małej piąstce, no i końcowe E, od początku zastępowane marchewką.

– Tak, to ona – uśmiechnął się triumfalnie Klaus. – Znaleźliśmy Wioletkę.

– Abra – powiedziało Słoneczko, komunikując: „Tylko dzięki temu, że przyłapałeś Olafa na stosowaniu anagramów".

– Szczerze mówiąc, wpadły na to trojaczki Bagienne – sprostował uczciwie Klaus, demonstrując wiadomą stronę z notesu Bagiennych. – Ale to ty otworzyłaś puszkę z zupą, co bardzo ułatwiło nam zadanie. Zresztą, nie ma co sobie gratulować, dopóki nie uratujemy Wioletki. – Sprawdził na liście: – Laura W. Bleediotie leży na Oddziale Chirurgicznym w sali numer 922.

– Gwinto – zauważyło Słoneczko, komunikując: „Ale Matateusz zamknął Oddział Chirurgiczny".

– To go otworzymy – rzekł Klaus z ponurą determinacją i rozejrzał się po magazynie. – Włóżmy białe fartuchy. Może nas wezmą za lekarzy i wpuszczą. Zawiążemy sobie maski ochronne na twarzach, tak jak asystenci Olafa w tartaku.

– Bagieni – bąknęło z powątpiewaniem Słoneczko. Komunikując: „Bagienni też to zrobili, ale Olaf się nie nabrał".

– Za to Olaf, ile razy się przebrał, nabierał wszystkich – odrzekł Klaus.

– Nas! – pisnęło Słoneczko.

– No tak, z wyjątkiem nas. Ale my siebie nie musimy, na szczęście, nabierać.

– Fakt – przyznało Słoneczko i sięgnęło po dwa białe fartuchy.

Ponieważ większość lekarzy to dorośli, białe fartuchy były o wiele za duże na dzieci, którym zaraz przypomniały się prążkowane garnitury od Esmeraldy Szpetnej, z czasów, gdy była ich opiekunką. Klaus pomógł Słoneczku popodwijać rękawy, a Słoneczko pomogło Klausowi zawiązać maseczkę – i w parę chwil oboje byli przebrani.

– Chodźmy – powiedział Klaus, kładąc rękę na klamce drzwi magazynu. Ale jakoś ich nie otwierał. Odwrócił się i popatrzył na siostrę, a ona na niego. Chociaż mieli na sobie białe fartuchy i maski chirurgiczne, nie wyglądali na lekarzy. Ich kostiumy prezentowały się groteskowo – czyli „w ogóle nie nadawały im wyglądu lekarz" – ale w końcu nie mniej groteskowe były wszystkie kostiumy, w których występował Olaf od czasu, gdy zaczął ścigać fortunę Baudelaire'ów. Przypomniawszy to sobie, Klaus i Słoneczko wyrazili ciche życzenie, aby metoda Olafa sprawdziła się i w ich przypadku i doprowadziła do uratowania Wioletki. Potem już bez słowa otworzyli drzwi i wyszli z magazynu.

– Dojś? – spytało Słoneczko, komunikując: „Ale jak trafimy na Oddział Chirurgiczny, skoro plany szpitala są takie mylące?".

– Poczekamy, aż ktoś będzie tam szedł – odparł Klaus. – Rozglądajmy się za kimś, kto wygląda, jakby szedł na Oddział Chirurgiczny.

– Silata – powiedziało Słoneczko, komunikując coś w sensie: „Ale tu jest mnóstwo ludzi!".

Szpital do prawidłowego funkcjonowania potrzebuje wielu typów personelu i urządzeń. Klaus i Słoneczko, poszukując Oddziału Chirurgicznego, przekonali się o tym, obserwując ciągły ruch pracowników i urządzeń po szpitalnych korytarzach. Lekarze ze stetoskopami spieszyli nasłuchiwać bicia chorych serc, położne biegły z noworodkami do świeżo upieczonych matek, radiolodzy dźwigali aparaty rentgenowskie, żeby jak najszybciej zajrzeć za ich pomocą w ludzkie wnętrza, a chirurdzy optyczni pędzili z laserami, żeby dobrać się do chorych oczu. Pełno było też pielęgniarek ze strzykawkami, gotowych do robienia zastrzyków, i pracowników administracji z dokumentami, spieszących do ważnej pracy papierkowej. Mimo tak wielkiej rozmaitości profesji Klaus i Słoneczko nie dostrzegli w tym tłumie nikogo, kto wyglądał, jakby zmierzał na Oddział Chirurgiczny.

– Nie widzę ani jednego chirurga – zmartwił się Klaus.

– Pipiks – powiedziało Słoneczko, komunikując: „Ja też nie".

– Uwaga, wszyscy z drogi! – rozległ się władczy głos w końcu korytarza. – Jestem asystentką Doktora Flacutono, niosę sprzęt chirurgiczny!

Tłum pracowników szpitala rozstąpił się z szacunkiem przed wysoką osobą w białym kitlu i masce chirurgicznej, która nadchodziła oto chwiejnym, nierytmicznym krokiem i wołała:

– Muszę natychmiast dostać się na Oddział Chirurgiczny!

Osoba minęła Klausa i Słoneczko, nie zwracając wcale na nich uwagi. Za to oni zwrócili uwagę na nią. Poznali buty na szpilkach wystające spod długiego białego kitla, i damską torebkę w kształcie oka, którą niosła w jednej ręce. Poznali też czarną woalkę u kapelusza, powiewającą nad maską chirurgiczną, a także przebijające przez maskę ślady krwawej szminki.

Osoba ta podawała się tylko za asystentkę chirurga i chociaż niosła coś, co z daleka przypominało sprzęt chirurgiczny, nie nabrała Klausa ani Słoneczka na swoje groteskowe przebranie. Patrząc, jak balansuje na wysokich szpilkach, Baudelaire'owie od razu poznali, że to Esmeralda Szpetna, podła narzeczona Hrabiego Olafa. A gdy przyjrzeli się bliżej rzekomemu sprzętowi chirurgicznemu, który błyskał co chwila w jej ręku, przekonali się, że to nic innego jak wielki, zardzewiały, zębaty nóż – idealne narzędzie do kranioektomii.

ROZDZIAŁ

# Dziesiąty

W tym punkcie naszej mrożącej krew w żyłach opowieści muszę przerwać na moment, aby zdradzić wam, co spotkało mego bliskiego znajomego nazwiskiem Sirin. Otóż pan Sirin był lepidopterologiem, które to słowo oznacza zazwyczaj „badacz motyli”.

W naszym przypadku jednak słowo „lepidopterolog" znaczy: „człowiek ścigany przez wściekłych urzędników", którzy owej krytycznej nocy już deptali mu po piętach.

Pan Sirin obejrzał się, sprawdzając, jak daleko są jego prześladowcy – czterej oficerowie w amarantowych uniformach, każdy z małą latarką w lewej ręce i wielką siecią w prawej – i zrozumiał, że za chwilę wpadnie w ich ręce i sieci, a wraz z nim pojmanych zostanie jego sześć ulubionych motyli, trzepoczących się oto w panicznej ucieczce u jego boku. Pan Sirin nie dbał o siebie – siedział już w więzieniu cztery i pół raza w trakcie swego długiego i skomplikowanego życia – dbał jednak nade wszystko o swoje motyle. Wiedział, że tych sześć delikatnych owadów zginie marnie w więzieniu dla insektów, gdzie jadowite pająki, kąśliwe osy i inni zatwardziali kryminaliści rozerwą je na strzępy. Dlatego więc, czując na plecach oddech tajniaków, pan Sirin otworzył usta, szeroko, jak najszerzej, i połknął wszystkie sześć motyli, w całości, przenosząc je pospiesznie w ciemne, lecz bezpieczne lochy własnego pustego żołądka. Nie było to przyjemne uczucie, nosić w żołądku sześć żywych motyli, ale pan Sirin wytrzymał tak całe trzy lata, odżywiając się przy tym tylko najlżejszymi potrawami z więziennego menu, aby przypadkiem nie zdusić któregoś z cennych owadów grudką brokuła albo pieczonego ziemniaka. Kiedy odsiedział wyrok, beknął z dna żołądka, wdzięczne motyle wyfrunęły z niego jak motyle, a on sam podjął dalsze badania lepideptorologiczne w środowisku bardziej sprzyjającym uczonym i obiektom ich badań.

Zdradzam wam tę historię nie tylko po to, byście poznali dzielność i fantazję jednego z moich najbliższych przyjaciół, ale także po to, abyście mogli wyobrazić sobie, jak poczuli się Klaus i Słoneczko na widok Esmeraldy Szpetnej przebranej za asystentkę Doktora Flacutono, która maszerowała właśnie korytarzem Szpitala Schnitzel, dzierżąc w dłoni zardzewiały nóż kuchenny przebrany za narzędzie chirurgiczne, którym operowana miała być Wioletka. Klaus i Słoneczko zrozumieli nagle, że ich jedyną szansą na odnalezienie Oddziału Chirurgicznego i ocalenie siostry jest oszukanie tej chciwej łotrzycy na szpilkach. Kiedy jednak zbliżyli się do niej, poczuli dokładnie to samo co pan Sirin, gdy odsiadywał swój piąty i ostatni wyrok: poczuli niemiłe trzepotanie motyli w żołądkach.

– Przepraszam siostrę – rzekł Klaus, w miarę możności zamieniając głos trzynastolatka w ton głosu absolwentki szkoły pielęgniarskiej. – Czy się nie przesłyszałam, że jest siostra asystentką Doktora Flacutono?

– Problemy ze słuchem to nie do mnie – odburknęła Esmeralda Szpetna. – Proszę mi nie zawracać głowy i zgłosić się na oddział laryngologiczny.

– Nie mam problemów ze słuchem – powiedział Klaus. – Ta siostra i ja również jesteśmy asystentkami Doktora Flacutono.

Esmeralda wbiła obcas w podłogę, zatrzymała się i spojrzała z góry na dwie sieroty. Klaus i Słoneczko dostrzegli błysk jej oczu za woalką modnego kapelusika, zanim usłyszeli odpowiedź:

– Właśnie się zastanawiałam, gdzie się podziewacie. Chodźcie ze mną, zaprowadzę was do pacjentki.

– Patsy – powiedziało Słoneczko.

– Moja siostra mówi – wyjaśnił błyskawicznie Klaus – że bardzo niepokoimy się stanem zdrowia Laury W. Bleediotie.

– Wasz niepokój nie potrwa długo – odparła Esmeralda, skręcając w inny korytarz. – Proszę, niech siostra poniesie nóż.

Podła narzeczona Olafa wcisnęła Klausowi w rękę zardzewiały nóż i nachyliła się ku niemu konfidencjonalnie.

– Dobrze, żeście się tu znalazły – powiedziała szeptem. – Młodszego brata i siostry tej smarkuli jeszcze nie ujęto, nie mamy też nadal akt pożarów Snicketa. Władze usunęły je z Archiwum dla potrzeb śledztwa. Szef mówi, że może trzeba będzie puścić całą budę z dymem.

– Dymi? – upewniło się Słoneczko.

– Tym zajmie się sam Matateusz – odrzekła Esmeralda, rozglądając się po korytarzu, czy nikt nie podsłuchuje. – Wy macie tylko uczestniczyć w operacji. Pospieszmy się.

Esmeralda ruszyła w górę schodami, najszybciej jak jej na to pozwalały szpilki, a dzieci, pełne niepokoju, stąpały za nią; Klaus z zardzewiałym zębatym nożem w ręku. Co otworzyli kolejne drzwi, co weszli w nowy korytarz, co pokonali następne schody, Klaus i Słoneczko drżeli na myśl, że właśnie teraz, nagle, Esmeralda przejrzy ich kamuflaż i pozna, kim są naprawdę. Lecz ta chciwa kobieta była zbyt zajęta wyszarpywaniem obcasów z podłogi, aby zwracać baczniejszą uwagę na dwoje dodatkowych asystentów Doktora Flacutono, których podobieństwo do poszukiwanych przez nią dzieci było uderzające. W końcu doszli do drzwi z tabliczką ODDZIAŁ CHIRURGICZNY, pilnowanych przez osobnika, którego Klaus i Słoneczko natychmiast poznali.

Wartownik miał na sobie kitel z czarną pieczątką SZPITAL SCHNITZEL i czapkę z równie czarną pieczątką STRAŻNIK, ale Klaus i Słoneczko natychmiast przejrzeli jego nieudolny kamuflaż. Pamiętali tę postać z Doku Damoklesa, z czasów kiedy ich opiekunką była biedna Ciotka Józefina. Musieli gotować tej kreaturze obiady, gdy mieszkali u Hrabiego Olafa. Rzekomy strażnik był nie kim innym jak olbrzymem, po którym trudno było poznać, czy jest mężczyzną, czy kobietą. Asystował on Hrabiemu Olafowi w jego niecnych planach od samego początku ucieczki Baudelaire'ów. Osoba spojrzała na dzieci, dzieci na nią, a może na niego. Klaus i Słoneczko nie mieli wątpliwości, że zostali rozpoznani. Asystent Olafa skinął jednak służbiście głową i otworzył przed nimi drzwi Oddziału Chirurgicznego.

– Uśpili już smarkulę, to dobrze – powiedziała Esmeralda. – Niech siostry teraz idą do jej sali i przywiozą ją na salę operacyjną. Ja idę szukać dalej tego wścibskiego mola książkowego i durnego niemowlaka z przerośniętymi zębami. Matateusz powiedział, że mogę sama wybrać, które z nich zatrzymamy przy życiu, żeby zmusić pana Poe do przekazania nam fortuny, a które rozerwiemy na strzępy.

– Doskonale – powiedział Klaus, siląc się na ton morderczy i bezwzględny. – Przyznam, że mnie już zmęczył pościg za tymi dzieciarami.

– Mnie też – wyznała Esmeralda, a olbrzymi asystent kiwnął głową na znak, że i on ma dość. – Ale tym razem to już będzie koniec, jestem pewna. Kiedy zniszczymy akta, nikt już nas o nic nie oskarży, a wtedy zlikwidujemy sieroty i fortuna będzie nasza.

Łotrzyca przerwała, rozejrzała się, czy nikt nie podsłuchuje, a nie ujrzawszy nikogo takiego, zaniosła się dzikim, triumfalnym chichotem. Wielki asystent zawtórował jej dziwnym głosem – czymś pośrednim między skowytem a wyciem. Klaus i Słoneczko, aby nie obudzić podejrzeń, zadarli głowy do góry i spoza masek chirurgicznych także wydali serię odgłosów zbliżonych do śmiechu, chociaż w ich przypadku był to śmiech równie nieudolny, jak przebranie za pielęgniarki. Klausowi i Słoneczku wcale nie było do śmiechu, że muszą odgrywać chciwość i podłość równą chciwości i podłości trupy Hrabiego Olafa; raczej wprost przeciwnie. Dzieci nawet dotąd nie podejrzewały, jak strasznie zachowują się ci niegodziwi ludzie, kiedy nie muszą udawać miłych i cywilizowanych. Krwiożercze pogróżki Esmeraldy mroziły im krew w żyłach, a widok zaśmiewających się do rozpuku wspólników Olafa ożywiał panikę roztrzepotanych motyli w ich żołądkach. Nic więc dziwnego, że odetchnęli z ulgą, gdy Esmeralda skończyła się śmiać i wepchnęła ich wreszcie na Oddział Chirurgiczny.

– Zostawiam panie w rękach naszych współpracowników – rzekła na pożegnanie, a Baudelaire'owie w lot pojęli ze zgrozą, o co jej chodzi. Gdy Esmeralda zamknęła za nimi drzwi, ujrzeli przed sobą dwoje następnych kompanów Hrabiego Olafa.

– Witamy, witamy, nareszcie – rzekł jeden z nich, celując w dzieci palcem osobliwej dłoni. Palec ten sterczał sztywno zakrzywiony w szpon, podczas gdy reszta palców dyndała luźno, jak mokre skarpetki na sznurze od bielizny.

Klaus i Słoneczko od razu poznali, że mają do czynienia z tym wspólnikiem Olafa, który ma zamiast dłoni dwa stalowe haki, mimo iż przywdział on gumowe rękawice maskujące te groźne uchwyty. Za hakorękim stał mężczyzna, którego ręce niczym się nie wyróżniały, za to ohydna peruka na jego głowie sprawiła, że Klaus i Słoneczko nie mieli wątpliwości, kto to jest. Kręcone, białe sztuczne włosy na rozciągniętej peruce przypominały do złudzenia gniazdo wijących się robaków – a takiego widoku łatwo się nie zapomina. Klaus i Słoneczko w każdym razie pamiętali go doskonale z Paltryville i zidentyfikowali jako łysego z długim nosem, który asystował Hrabiemu Olafowi od początku niefortunnych przygód sierot Baudelaire. Hakoręki i łysy z długim nosem wyróżniali się podłością w trupie Olafa, a do tego, w przeciwieństwie do większości podłych ludzi na ziemi, byli stosunkowo inteligentni, toteż trzepotanie motyli w żołądkach

Klausa i Słoneczka nasiliło się proporcjonalnie do zagrożenia – co tu oznacza: „bardzo, bardzo się nasiliło" – w chwili, gdy obserwując tych dwóch osobników, zadawali sobie w duchu pytanie, czy łotrom wystarczy inteligencji na rozpoznanie ich w przebraniach pielęgniarek.

– Przebieracie się ostatnio za pielęgniarki? – zagadnął ironicznie hakoręki, kładąc jeden hak na ramieniu Klausa.

– Ja też poznałem – dodał skwapliwie łysy. – Ale nie bójcie się, nikt więcej was nie pozna. Nie wiem, drogie panie, jak to robicie, ale w tych białych kitlach wyglądacie na dużo niższe niż w rzeczywistości.

– I nie jesteście już takie blade w tych maskach chirurgicznych – podchwycił hakoręki. – To faktycznie najlepsze przebrania, jakie Olaf, chciałem powiedzieć Matateusz, jak dotąd wykombinował.

– Szkoda czasu na gadanie – przerwał mu Klaus, z nadzieją, że i głos go nie zdradzi. – Musimy się natychmiast dostać do sali numer 992.

– Jasne, jasne – zgodził się hakoręki. – Chodźmy więc, drogie panie.

Wspólnicy Olafa ruszyli korytarzem Oddziału Chirurgicznego, a Klaus i Słoneczko za ich plecami ukradkiem wymienili pełne ulgi spojrzenia.

– Git – mruknęło Słoneczko, komunikując: „Nawet oni nas nie poznali".

– Właśnie – szepnął Klaus. – Myślą, że to te dwie bladolice przebrały się za asystentki Doktora Flacutono, a nie że dwoje dzieci przebrało się za dwie bladolice, które przebrały się za asystentki Doktora Flacutono.

– Nie szeptać mi tam o przebierankach – skarcił ich łysy. – Jeszcze was kto usłyszy, i koniec z nami.

– Zamiast z Laurą W. Bleediotie – uzupełnił złośliwie hakoręki. – Od dawna mam na nią haka, odkąd nawiała Matateuszowi od ołtarza.

– Pułapka – powiedziało Słoneczko, najzłośliwiej jak potrafiło.

– Święte słowo: pułapka – przytaknął łysy. – Narkozę już dostała, leży nieprzytomna. Teraz wystarczy zawieźć ją do teatru operacyjnego, urżnąć jej łeb – i po krzyku.

– Mimo wszystko nie rozumiem, dlaczego mamy ją mordować na oczach wszystkich lekarzy – odezwał się hakoręki.

– Żeby upozorować wypadek przy pracy, idioto – warknął na niego łysy.

– Nie jestem idiotą – obruszył się hakoręki. – Jestem kaleką fizycznym.

– Kalectwo fizyczne nie daje ci automatycznie kwalifikacji umysłowych – upierał się łysy.

– A głupia peruka nie daje ci automatycznie prawa do obrażania mnie – odciął się hakoręki.

– Przestańcie się kłócić! – rozkazał Klaus. – Im prędzej zoperuje się Laurę W. Bleediotie, tym prędzej się wzbogacimy.

– Tak! – dodało Słoneczko.

Dwaj niegodziwcy spojrzeli z góry na sieroty Baudelaire i potulnie pokiwali głowami.

– Panie mają rację – powiedział hakoręki. – Nie powinniśmy zachowywać się nieprofesjonalnie tylko dlatego, że mamy stresującą pracę.

– Racja, racja – westchnął ciężko łysy. – Mnie się już zdaje, że przez całe życie ścigam te trzy sieroty, które za każdym razem wymykają nam się w ostatniej chwili. Skupmy się na zadaniu, a sprawy osobiste załatwimy później. No, jesteśmy na miejscu.

Czworo przebierańców doszło właśnie do końca korytarza i zatrzymało się pod drzwiami z tabliczką SALA 922. Pod tabliczką, na przypiętym pinezką skrawku papieru, nagryzmolone było: „Laura W. Bleediotie". Łysy sięgnął po klucz do kieszeni kitla i z triumfalnym uśmiechem otworzył drzwi.

– No, jest nasza śpiąca królewna! – powiedział.

Drzwi otworzyły się z przeciągłym, bolesnym skrzypieniem. Klaus i Słoneczko weszli do niedużego, kwadratowego pomieszczenia, którego okna zasłonięte były grubymi kotarami, więc panował w nim prawie zupełny mrok. Nawet jednak w tym mroku Klaus i Słoneczko zobaczyli swoją siostrę – i oniemieli z przerażenia na ten straszny widok.

Gdy łysy wspomniał o śpiącej królewnie, nawiązał do bajki, którą słyszeliście pewnie z tysiąc razy. Jak każda bajka i ta zaczyna się słowami: „Dawno, dawno temu", potem rozwija historię niezbyt rozgarniętej księżniczki, która najpierw zdenerwowała czarownicę, a potem zasnęła jak kamień i obudził ją dopiero narzeczony, który koniecznie zaraz chciał się z nią żenić; no i w tym momencie bajka kończy się, jak to bajka, słowami: „I żyli długo i szczęśliwie".

Bajce tej towarzyszą zazwyczaj ilustracje przedstawiające śpiącą królewnę. Na tych obrazkach śpiąca królewna wygląda pięknie i elegancko: porządnie uczesana, w schludnie wyprasowanej jedwabnej sukni, chrapie sobie wygodnie całymi latami.

Ale to, co ujrzeli Klaus i Słoneczko w SALI 992, w niczym nie przypominało ilustracji do bajki o śpiącej królewnie.

Najstarsza z Baudelaire'ów leżała na wózku operacyjnym, który jest metalowym stołem na kółkach do przewożenia pacjentów w szpitalu.

Ten akurat wózek operacyjny był pordzewiały jak nóż w ręku Klausa, a prześcieradła okrywające Wioletkę były brudne i dziurawe. Równie brudna była biała koszula, w którą przebrali Wioletkę wspólnicy Olafa, splatając jej bezwładne nogi jak pędy winorośli. Skłębione włosy zarzucono Wioletce na oczy, żeby nikt postronny nie rozpoznał jej twarzy ze zdjęcia w „Dzienniku Punctilio". Ręce Wioletki zwisały luźno poza brzegi wózka, a jeden bezwładny palec prawie dosięgał podłogi. Twarz Wioletki była blada i pusta jak tarcza księżyca, a jej lekko uchylone usta wykrzywiał stężały skurcz bólu, jakby przyśniło jej się ukłucie zatrutą igłą. Ogólnie Wioletka wyglądała, jakby spadła na wózek operacyjny z wielkiej wysokości, i gdyby nie powolne, lecz miarowe falowanie klatki piersiowej przy oddychaniu, można by pomyśleć, że nie przeżyła upadku. Klaus i Słoneczko wpatrywali się w siostrę z niemą grozą.

– Ładniutka – oblizał się hakoręki. – Nawet jak śpi.

– I niegłupia – dodał łysy. – Tylko że mądra główka na nic jej się nie zda, jak ją urżną.

– Prędzej, bierzemy ją na operację – zarządził hakoręki, pierwszy wypychając wózek z pokoju. – Matateusz uprzedzał, że znieczulenie nie potrwa długo, więc trzeba jak najprędzej przystąpić do kranioektomii.

– A to by był numer, jakby się tak w połowie obudziła! – zarechotał łysy. – Tylko że wtedy z planu znów byłaby klapa. Proszę, szanowne panie, z tego końca. Nie lubię na nią patrzeć, jak się tak krzywi.

– Nie zapomnijcie noża – dodał hakoręki. – Doktor Flacutono i ja nadzorujemy operację, ale przeprowadzacie ją wy dwie.

Klaus i Słoneczko kiwnęli głowami. Woleli się nie odzywać, żeby dwaj obwiesie nie poznali ich niepokoju i nie nabrali podejrzeń. W milczeniu zajęli miejsca po dwóch stronach wózka, na którym spoczywała nieruchomo ich siostra. Oboje mieli chęć potrząsnąć ją łagodnie za ramiona, szepnąć jej coś do ucha, albo choćby odgarnąć jej włosy z oczu – cokolwiek, byleby jej trochę ulżyć. Wiedzieli jednak, że najdrobniejszy nawet czuły gest natychmiast ich zdradzi, więc zaciskając zęby, szli dalej po obu stronach wózka, Klaus z zardzewiałym nożem w dłoni, za opryszkami, którzy wyprowadzili ich z SALI 922 i powiedli dalej korytarzem Oddziału Chirurgicznego. Przez cały czas obserwowali bacznie oblicze swej siostry, wypatrując najmniejszych oznak końca znieczulenia, lecz twarz Wioletki była nieporuszona i blada jak papier maszynowy, na którym to piszę.

Chociaż Klaus i Słoneczko zawsze starali się zwracać uwagę na geniusz wynalazczy Wioletki i jej wdzięk towarzyski, a nie na wygląd zewnętrzny, to faktem było, co stwierdził przed chwilą hakoręki, że Wioletka była bardzo ładna, i gdyby ktoś ją porządnie uczesał, zamiast złośliwie potargać, i ubrał w coś eleganckiego, zamiast w poplamione giezło, to rzeczywiście wyglądałaby jak z ilustracji do bajki o śpiącej królewnie.

Natomiast Klaus i Słoneczko nie czuli się bynajmniej jak postacie z bajki. Niefortunne zdarzenia ich życia nie rozpoczęły się słowami: „Dawno, dawno temu", tylko strasznym pożarem, w którym stracili dom i rodziców. Zmierzając w ślad za wspólnikami Olafa ku kwadratowym metalowym drzwiom w końcu korytarza, Klaus i Słoneczko obawiali się, że i koniec ich życia nie będzie taki jak w bajkach. Tabliczka na metalowych drzwiach głosiła: TEATR OPERACYJNY. Hakoręki otworzył drzwi.

A wówczas Klaus i Słoneczko nabrali absolutnej pewności, że ich historia nie zakończy się słowami: „I żyli długo i szczęśliwie".

*R O Z D Z I A Ł*

# Jedenasty

Teatry operacyjne nie są tak powszechnie uczęszczane jak teatry dramatyczne czy operowe, i nic dziwnego. W teatrze dramatycznym, o ile jest się widzem, siedzi się w wielkiej, ciemnej sali, gdzie aktorzy odgrywają na scenie sztukę, więc można dla rozrywki słuchać dialogów lub patrzeć na kostiumy. W teatrze operowym, o ile jest się widzem i słuchaczem, także siedzi się w wielkiej ciemnej sali, gdzie orkiestra wykonuje symfonię, więc można dla rozrywki słuchać melodii i patrzeć, jak dyrygent wymachuje pałeczką. Podobnie w kinie, które nazwać możemy teatrem obrazów: o ile jest się widzem, siedzi się w wielkiej, ciemnej sali, w której z projektora odtwarzany jest film, więc można dla rozrywki chrupać popcorn i plotkować o gwiazdach filmowych.

Ale teatr operacyjny to coś całkiem innego: tu widz najlepiej zrobi wychodząc od razu, gdyż teatr operacyjny jest to wielka, ciemna sala, w której lekarze dokonują zabiegów medycznych, i nigdy nie ogląda się tam nic oprócz cierpienia, bólu i przykrości, nie mówiąc o krwi. Z tego właśnie powodu większość teatrów operacyjnych na świecie już pozamykano, ewentualnie poprzerabiano na restauracje.

Muszę wam jednak donieść z niemałą przykrością, że teatr operacyjny Szpitala Schnitzel wciąż cieszył się w czasach naszej opowieści niesłabnącym powodzeniem. Wszedłszy do środka przez kwadratowe metalowe drzwi przed wspólnikami Olafa, Klaus i Słoneczko pierwsi ujrzeli wielką, ciemną salę pełną ludzi. Rząd za rzędem, amfiteatr wypełniali lekarze w białych kitlach, wyraźnie żądni widoku nowatorskiej operacji, która miała tu zostać przeprowadzona. Grupki pielęgniarek szeptały z wielkim przejęciem o pierwszej na świecie kranioektomii. Liczny zastęp Wolontariuszy Zwalczania Schorzeń był jak zwykle zwarty i gotowy, w razie potrzeby, do wybuchu pieśni. Poza tym widownię zapełniała masa ludzi, którzy najwidoczniej przyszli do teatru operacyjnego ze zwykłej ciekawości, co tam dziś jest grane. Czwórka przebierańców wtoczyła wózek operacyjny na małą, pustą scenę, oświetloną kandelabrem z sufitu. Ledwie blask kandelabru oświecił nieprzytomną siostrę Klausa i Słoneczka, na widowni zerwała się burza oklasków. Entuzjazm tłumu wzmógł niepokój Klausa i Słoneczka, ale dwaj kompani Olafa zatrzymali wózek na scenie, unieśli ręce przed widownią i skłonili się w pas po kilka razy.

– Dziękujemy wam! – krzyknął gromko hakoręki. – Lekarze, siostry, Wolontariusze Zwalczania Schorzeń, dziennikarze „Dziennika Punctilio”, szanowni goście i wy, normalni ludzie, witajcie w teatrze operacyjnym Szpitala Schnitzel! Nazywam się Doktor Lucafont i będę waszym przewodnikiem medycznym po dzisiejszym programie.

– Niech żyje Doktor Lucafont! – zawołał któryś z lekarzy na widowni, i znów zerwała się burza oklasków, a hakoręki raz jeszcze wzniósł obciągnięte gumowymi rękawicami ręce i skłonił się nisko.

– A ja nazywam się Doktor Flacutono – obwieścił łysy, wyraźnie zazdrosny, że hakoręki dostał taki aplauz. – To ja jestem twórcą metody kranioektomii i wielki to dla mnie honor móc w dniu dzisiejszym dokonać pierwszej operacji w obecności was wszystkich, moi wspaniali i atrakcyjni goście!

– Niech żyje Doktor Flacutono! – pisnęła któraś pielęgniarka, a widownia odpowiedziała na to huraganem braw. Z rzędów prasowych rozległy się nawet gwizdy. Łysy ukłonił się prawie do ziemi, jedną ręką podtrzymując kudłatą perukę na głowie.

– Doktor Flacutono ma rację! – krzyknął hakoręki. – Jesteście wspaniali! Jesteście atrakcyjni! Wszyscy jesteście wspaniali! Niech żyje publiczność!

– Niech żyjemy! – huknął basem któryś z wolontariuszy, wzniecając nowy huragan braw. Klaus i Słoneczko obserwowali swoją siostrę z nadzieją, że wrzawa tłumu obudzi ją z letargu, ale Wioletka ani drgnęła.

– A teraz, jeśli państwo pozwolą, przedstawię moje dwie urocze asystentki: Doktor Tocuna i Siostra Flo – ciągnął łysy. – Brawa dla naszych asystentek!

Klaus i Słoneczko spodziewali się, że lada chwila z tłumu wyrwie się okrzyk: „To nie żadne asystentki! To te dzieciaki ścigane za morderstwo!" – ale publiczność, jakby nigdy nic, po raz kolejny urządziła owację. Wobec tego Klaus i Słoneczko musieli pomachać widzom, choć niezbyt radośnie.

Chociaż ulżyło im, że nie zostali rozpoznani, czuli narastający trzepot motyli w żołądkach, gdyż obsada teatru operacyjnego wyraźnie szykowała się już do dzieła.

– Skoro już znamy naszych wspaniałych wykonawców – rzekł hakoręki – możemy zaczynać. Doktorze Flacutono, czy jest pan gotów?

– Jasne – odparł łysy. – Panie i panowie, operacja kranioektomii, jak wiecie, polega na usunięciu pacjentowi głowy. Naukowcy odkryli, że wiele problemów zdrowotnych ma swoje źródło w mózgu, toteż dla dobra pacjenta najlepiej jest usunąć wówczas mózg wraz z głową. Niestety, jest to często zabieg równie niebezpieczny, jak konieczny. Istnieje ryzyko zgonu Laury W. Bleediotie na stole operacyjnym, ale ryzyko to podjąć musimy dla dobra pacjentki.

– Śmierć pacjentki na stole operacyjnym byłaby bardzo przykrym wypadkiem, Doktorze Flacutono – powiedział hakoręki.

– Bez wątpienia, Doktorze Lucafont – przyznał łysy. – Dlatego wykonanie operacji zlecam moim asystentkom, a sam będę nadzorował jej przebieg. Doktor Tocuno, Siostro Flo, proszę zaczynać.

Na sali znów zerwały się burzliwe oklaski. Wspólnicy Olafa rozsyłali całusy na wszystkie strony, a Klaus i Słoneczko, patrząc na to, truchleli ze strachu.

– Co zrobimy? – mruknął półgębkiem Klaus, zerkając jednym okiem na widownię. – Ci ludzie oczekują, że obetniemy Wioletce głowę.

Słoneczko spojrzało na Wioletkę, wciąż nieprzytomną na szpitalnym wózku, a potem na brata, który dzierżył w dłoni długi, zardzewiały nóż otrzymany od Esmeraldy Szpetnej. W końcu powiedziało:

– Prrr!

„Prrr!", jak wiadomo, mówi się do konia, kiedy chce się, aby przystanął. Klaus zorientował się jednak zaraz, że Słoneczko przez „Prrr!" komunikuje mu raczej coś w sensie: „Spróbujmy jak najdłużej ociągać się z przystąpieniem do operacji". Klaus potwierdził słuszność tego pomysłu ruchem głowy. Nabrał głęboko tchu i przymknął oczy, usiłując wymyślić coś, co pomoże chociaż trochę oddalić operację – i natychmiast przypomniała mu się pewna lektura.

Każdy, kto czyta tak dużo jak Klaus, zdobywa wiedzę, która przez dłuższy czas może mu się do niczego nie przydać. Czyta człowiek za młodu książkę o podboju kosmosu, a kosmonautą zostaje, dajmy na to, dopiero po osiemdziesiątce. Albo czyta, jak wykonywać zawiłe akrobacje na lodzie, a zmuszony zostaje do ich prezentowania dopiero po paru tygodniach. Albo też czyta człowiek o szczęściu małżeńskim, chociaż jedyna jego ukochana kobieta już dawno wyszła za mąż za kogoś innego, a na domiar złego, pewnego popołudnia zginęła w drastycznych okolicznościach. Klaus też czytywał książki o podboju kosmosu, akrobacjach na lodzie i szczęściu małżeńskim, i jak dotąd uzyskane z nich informacje na nic mu się nie przydały – ale czytał też inne książki, czerpiąc z nich informacje, które miały mu się przydać już niebawem.

– Zanim wykonam pierwsze nacięcie – oznajmił Klaus tonem wykładowcy – chciałabym wraz z Siostrą Flo przybliżyć państwu, w opisie rzecz jasna, narzędzia, którymi posłużymy się w tej operacji.

Słoneczko zerknęło na brata, usiłując odgadnąć, o co mu chodzi.

– Nóż? – spytało.

– Otóż to – odparł Klaus. – Oto nóż, składa się on...

– Każdy wie, z czego składa się nóż, Doktor Tocuno – przerwał mu hakoręki i odwrócił się z zawodowym uśmiechem do publiczności, podczas gdy za jego plecami łysy szeptem łajał Klausa:

– Co to za wygłupy? Obetnij smarkuli łeb i zjeżdżamy stąd.

– Szanujący się chirurg – odszepnął Klaus – nigdy nie przystępuje do operacji, dopóki nie objaśni obecnym jej szczegółów. Musimy dużo gadać, bo inaczej nikt się nie nabierze.

Wspólnicy Olafa popatrzyli z wahaniem na Klausa i Słoneczko – ci zaś gotowi byli w każdej chwili dać nogę razem z wózkiem, na którym leżała Wioletka, gdyby tylko zostali rozpoznani. Jednak dwaj pozostali przebierańcy po chwili wahania wymienili uspokajające spojrzenia i kiwnęli do siebie głowami.

– Pewnie masz rację – powiedział hakoręki, po czym zwrócił się do publiczności: – Prosimy się nie niecierpliwić. Jak państwu wiadomo, jesteśmy szanującymi się chirurgami, a jako tacy mamy obowiązek objaśnić państwu wszystko, zanim przystąpimy do operacji. Doktor Tocuno, proszę kontynuować wykład.

– Zabieg kranioektomii przeprowadzony zostanie za pomocą noża – rzekł Klaus. – Nóż to, jak wiadomo, najstarsze narzędzie chirurgiczne.

Mówiąc to, Klaus coraz lepiej przypominał sobie rozdział o nożach z *Wielkiej historii narzędzi chirurgicznych*, którą czytał mając lat jedenaście.

– Najwcześniejsze noże odkryto w grobowcach egipskich i świątyniach Majów, gdzie stosowano je do celów rytualnych. Były to najczęściej noże kamienne. Stopniowo surowcem do wytwarzania noży stawały się brąz i żelazo, chociaż w pewnych kulturach nadal preferowano ostre kości zwierzęce.

– Zęby – uściśliło Słoneczko.

– Istnieje wiele typów noży – ciągnął Klaus – Mamy więc kozik, scyzoryk, finkę, i tak dalej. Do zabiegu kranioektomii konieczny jest jednak specyficzny typ noża, a mianowicie nóż Bowiego, nazwany tak na cześć swojego projektodawcy, pułkownika Jamesa Bowie z Teksasu.

– Dziękujemy pani doktor za wspaniały wykład – wtrącił się hakoręki. – Sądzę, że wiele państwo skorzystali.

– Owszem, owszem – odparła dziennikarka w szarym kostiumie, która nie przestała żuć gumy, gdy mówiła do swego minimikrofonu. – Już widzę te nagłówki: CHIRURG I PIELĘGNIARKA ZAMIAST OPEROWAĆ UDZIELAJĄ WYKŁADU O HISTORII NOŻA. Czytelnicy „Dziennika Punctilio" będą zachwyceni!

Publiczność odpowiedziała brawami, a w huraganie braw wypełniającym całą salę Wioletka poruszyła się nieznacznie na szpitalnym wózku. Jej usta rozchyliły się ciut szerzej, a luźno zwisająca ręka drgnęła. Były to ruchy tak minimalne, że nie dostrzegł ich nikt oprócz Klausa i Słoneczka, w których oczach błysnęła nadzieja. Oby tylko udało się odwlekać zabieg tak długo, aż znieczulenie minie zupełnie.

– Dość tej gadki – syknął łysy. – Nabierać naiwniaków zawsze przyjemnie i kupa śmiechu, ale trzeba się brać do operacji, zanim sierota odzyska przytomność.

– Zanim dokonam pierwszego nacięcia – podjął Klaus jakby nigdy nic – pragnę powiedzieć parę słów na temat rdzy.

Przerwał na moment, przypominając sobie, co wyczytał swego czasu w książce pod tytułem *Co się dzieje z metalem pod wpływem wilgoci*. Książkę tę otrzymał od matki.

– Rdza jest rudawym nalotem gromadzącym się w powierzchniowych warstwach niektórych metali na skutek utlenienia. Terminem utlenienie określamy reakcję chemiczną, w której żelazo lub stal styka się z wilgocią.

Uniósł zardzewiały nóż i zademonstrował go publiczności, kątem oka dostrzegając kolejne poruszenie ręki Wioletki.

– Proces utleniania metalu jest integralnym składnikiem operacji kranioektomii, podczas której źródłami utleniania są mitochondria komórkowe i demistyfikacja kosmetyczna.

Celowo używał jak największej liczby skomplikowanych słów.

– Brawo! – krzyknęło Słoneczko, a publiczność zareagowała brawami, choć nie tak już głośnymi jak uprzednio.

– Imponujące – warknął łysy na Klausa zza maski chirurgicznej. – Wydaje mi się jednak, że nasza wspaniała publiczność jeszcze lepiej zrozumie naturę procesu, gdy głowa pacjentki zostanie nareszcie odcięta.

– Naturalnie – przytaknął mu Klaus. – Najpierw jednak musimy przygotować do zabiegu okolice kręgów szyjnych, aby dokonać prawidłowego nacięcia. Siostro Flo, proszę zadrasnąć skórę na szyi Wio... przepraszam, Laury W. Bleediotie.

– Tajes! – powiedziało z uśmiechem Słoneczko, wiedząc dokładnie, o co Klausowi chodzi.

Stanęło na paluszkach i kilkakrotnie skubnęło zębami skórę na szyi siostry, mając nadzieję, że to Wioletkę obudzi. Wioletka drgnęła i zamknęła usta, ale nic więcej.

– Co ty wyrabiasz? – zirytował się szeptem hakoręki. – Bierzcie się do operacji, ale już, bo Matateusz nas ochrzani!

– Brawo dla Siostry Flo! – rzucił hasło Klaus, ale oklaski były tym razem mizerne, a okrzyku ani jednego. Publiczność najwyraźniej miała już dość wyjaśnień i domagała się operacji.

– Chyba wystarczy tego podgryzania – powiedział do Słoneczka łysy. Ton jego głosu był przyjazny i profesjonalny, ale w oczach czaiło się podejrzenie. – Przystępujemy do kranioektomii.

Klaus kiwnął głową, ujął nóż w obie ręce i wzniósł go ponad głowę swej bezbronnej siostry. Patrząc na uśpioną Wioletkę, zastanawiał się chwilę, czy umiałby dokonać na jej szyi minimalnego nacięcia, takiego, które by ją obudziło, a nie zraniło. Spojrzał jednak na zardzewiałe ostrze i zadrżał z obawy. Na koniec zerknął na Słoneczko, które przestało już podgryzać szyję Wioletki i wpatrywało się w brata wielkimi, wielkimi oczami.

– Nie mogę – szepnął i wbił wzrok w sufit. Dokładnie nad nimi widniał kanciasty głośnik interkomu, którego Klaus dotąd nie zauważył. Widok ten podsunął Klausowi pewną myśl. – Nie mogę – powtórzył głośno, wywołując tym oświadczeniem szum na sali.

Hakoręki dał krok w stronę szpitalnego wózka i dotknął Klausa szponem dłoni, okrytym luźną gumową rękawicą. Klaus poczuł ukłucie haka, sterczącego przez gumę rękawicy jak łeb stworzenia morskiego z wody.

– Co jest? – spytał szeptem hakoręki.

Klaus przełknął z trudem i udzielił mu odpowiedzi, starając się, by mimo wszystko zabrzmiała profesjonalnie, a nie jak skarga przestraszonego dziecka.

– Przed operacją należy wykonać jeszcze jedno zadanie. Najważniejsze zadanie, jakie mają do wykonania pracownicy Szpitala Schnitzel.

– A mianowicie? – spytał łysy.

Jego maska chirurgiczna obsunęła się pod groźnym spojrzeniem. Za to maska Słoneczka podjechała kącikami do góry, gdy maleństwo uprzytomniło sobie, co ma na myśli Klaus, i uśmiechnęło się od ucha do ucha.

– Papiry! – obwieściło Słoneczko triumfalnie i, ku uciesze Baudelaire'ów, na sali znów zerwała się burza oklasków.

– Hura! – zawołał, przekrzykując oklaski, wolontariusz WZS z tylnych ław. – Niech żyje dokumentacja!

Wspólnicy Olafa popatrzyli po sobie ze zgrozą, a Klaus i Słoneczko – z wielką ulgą.

– Niech żyje dokumentacja! – powtórzył gromko Klaus. – Nie możemy rozpocząć operacji, dopóki nie uzupełnimy akt pacjentki!

– To nie do wiary, że zapomniano o tak ważnej sprawie! – zawołała jakaś pielęgniarka z widowni. – Dokumentacja jest na pierwszym miejscu w naszym szpitalu!

– Już widzę te nagłówki – odezwała się znów reporterka z gumą do żucia. – SZPITAL SCHNITZEL ZANIEDBUJE DOKUMENTACJĘ! Czytelnicy „Dziennika Punctilio" będą oburzeni!

– Niech ktoś zawoła tu Hala – zasugerował któryś z lekarzy. – To szef Archiwum, niech nam pomoże rozwiązać problem dokumentacji.

– Zaraz go zawołam! – zgłosiła się jakaś pielęgniarka i wybiegła z teatru operacyjnego, a publiczność nagrodziła ją oklaskami.

– Nie ma potrzeby wzywać Hala – oznajmił hakoręki, unosząc hak dla uciszenia sali. – Dokumentacja jest w porządku, zapewniam państwa.

– Jednak przepisy wymagają, aby każde akta zatwierdził Hal – zauważył Klaus. – Taka jest od lat polityka Szpitala Schnitzel.

Łysy zgromił dzieci spojrzeniem i skarcił przerażającym szeptem:

– Co wy wyrabiacie? Zrujnujecie cały plan!

– Moim zdaniem, doktor Tocuna ma rację – zabrał głos inny lekarz z widowni. – Taką przyjęto tutaj politykę.

Publiczność znów zareagowała oklaskami, a Klaus i Słoneczko wymienili spojrzenia. Nie mieli, naturalnie, pojęcia, jaką politykę przyjął Szpital Schnitzel w kwestii dokumentacji, ale zaczynali powoli rozumieć, że tłum gotów jest uwierzyć we wszystko, co powie autorytet medyczny.

– Hal już idzie – obwieściła pielęgniarka, wracając do sali. – Miał jakiś drobny problem w Archiwum, ale zaraz tu będzie i podejmie decyzję w nurtującej nas sprawie.

– Nic nas tu nie nurtuje i nie potrzebujemy Hala! – rozległ się głos z końca widowni i oczom Baudelaire'ów ukazała się Esmeralda Szpetna, nadciągająca chwiejnie wprost na nich w butach na szpilkach. Za nią dreptały dziarsko dwie osoby w białych kitlach i maskach chirurgicznych, takich samych jak te, w które ubrani byli Klaus i Słoneczko. Ujrzawszy szokująco blade czoła nad maskami, Baudelaire'owie zrozumieli, że mają przed sobą dwie białolice asystentki Olafa.

– Oto prawdziwa Doktor Tocuna – wskazała palcem Esmeralda. – A to prawdziwa Siostra Flo. Ci dwoje na scenie to uzurpatorzy!

– Nieprawda! – oburzył się hakoręki.

– Nie o was chodzi – zniecierpliwiła się Esmeralda, piorunując wzrokiem Olafowych obwiesiów. – Chodzi o tych dwoje na scenie. Wszystkich nas nabrali. Nabrali lekarzy, pielęgniarki, wolontariuszy, reporterów, a nawet mnie – do czasu, aż znalazłam prawdziwe asystentki Doktora Flacutono.

– Jako lekarz – rzekł spokojnie Klaus – stwierdzam autorytatywnie, że ta kobieta postradała zmysły.

– Niczego nie postradałam! – wściekła się Esmeralda. – Za to wy zaraz postradacie głowy, Baudelaire'owie!

– Baudelaire'owie? – zaciekawiła się reporterka „Dziennika Punctilio". – Czy to ci sami, co zamordowali Hrabiego Omara?

– Olafa – poprawił łysy.

– Nic nie rozumiem – jęknął jakiś wolontariusz. – Za dużo tutaj osób, które udają inne osoby.

– Państwo pozwolą, że wyjaśnię – rzekła Esmeralda, wstępując na scenę. – Posiadam wykształcenie medyczne, podobnie jak Doktor Flacutono, Doktor O. Lucafont, Doktor Tocuna i Siostra Flo. Widzą to państwo zresztą po naszych białych kitlach i maskach chirurgicznych.

– Mytez! – pisnęło Słoneczko.

Chirurgiczna maska Esmeraldy wywinęła się do góry w złośliwym uśmiechu.

– Już niedługo, już niedługo – syknęła Esmeralda i dwoma zręcznymi ruchami zerwała maski z twarzy Baudelaire'ów. Publiczność wstrzymała oddech, a gdy maski opadły na ziemię, Klaus i Słoneczko ujrzeli wokół siebie pełne zgrozy spojrzenia lekarzy, pielęgniarek, reporterów i normalnych ludzi. Tylko Wolontariusze Zwalczania Schorzeń, którzy wierzyli święcie, że żadna wiadomość to dobra wiadomość, nie rozpoznali dzieci na podstawie fotografii w prasie.

– To Baudelaire'owie! – wrzasnęła jakaś pielęgniarka. – Czytałam o nich w „Dzienniku Punctilio"!

– Ja też! – zawtórował jej jeden z lekarzy.

– Reakcja czytelników zawsze bardzo nas cieszy – skomentowała skromnie reporterka „Dziennika Punctilio".

– Ale morderców było podobno troje, trzy sieroty, a tu są dwie! – zauważył przytomnie inny lekarz. – Gdzie najstarsza?

Hakoręki natychmiast wstąpił na podium, osłaniając Wioletkę przed ciekawskm wzrokiem widzów.

– Już w więzieniu – wyjaśnił krótko.

– Nieprawda! – krzyknął Klaus i odgarnął Wioletce włosy z twarzy, żeby wszyscy mogli zobaczyć, że to nie żadna Laura W. Bleediotie. – Ci wstrętni ludzie przebrali ją za pacjentkę, żeby jej uciąć głowę!

– Nie ośmieszaj się – upomniała go Esmeralda. – Kto miał jej urżnąć głowę? Przecież ty! Patrz, jeszcze trzymasz nóż!

– Ma rację! – wykrzyknęła reporterka. – Już widzę te nagłówki: MORDERCA USIŁUJE ZAMORDOWAĆ MORDERCZYNIĘ. Czytelnicy „Dziennika Punctilio” zemdleją z wrażenia.

– Tfu! – oburzyło się Słoneczko.

– Nie jesteśmy mordercami! – pospieszył z tłumaczeniem Klaus.

– Skoro nie jesteście mordercami – dociekała reporterka, wysuwając w ich stronnę mikrofon – to dlaczego wkradliście się do szpitala w przebraniu?

– Myślę, że ja potrafię to wyjaśnić – odezwał się następny znany dzieciom głos.

Oczy wszystkich zwróciły się na Hala, który właśnie wszedł do sali operacyjnej. W jednej ręce dzierżył pęk kluczy, sfabrykowanych przez Baudelaire'ów ze spinaczy biurowych i wstążki Wioletki, a drugą ręką wskazywał oskarżycielsko na dzieci.

– Tych troje morderców – oświadczył – podszyło się pod Wolontariuszy Zwalczania Schorzeń, aby otrzymać pracę w Archiwum.

– Naprawdę? – zlękła się jedna z pielęgniarek, a całej widowni zaparło dech. – Więc to są i mordercy, i fałszywi wolontariusze?

– Nic dziwnego, że nie znali słów hymnu! – krzyknął któryś wolontariusz.

– Wykorzystując mój osłabiony wzrok – ciągnął Hal, wskazując swoje okulary – sfabrykowali te fałszywe klucze i podmienili je na prawdziwe, żeby się dostać do Archiwum i zniszczyć akta swoich zbrodni!

– Nie my zniszczyliśmy te akta! – zaprotestował Klaus. – My chcieliśmy tylko oczyścić się z zarzutów. Przepraszamy za oszustwo z kluczami, Hal, i za poprzewracane szafy w Archiwum, ale...

– Poprzewracane szafy? – pieklił się Hal. – Co tam poprzewracane szafy! Jesteście winni czegoś znacznie gorszego!

Westchnął ciężko i przeniósł wzrok z dzieci na publiczność.

– Te dzieci dopuściły się podpalenia! – ogłosił. – W tej chwili całe Archiwum płonie!

ROZDZIAŁ

# Dwunasty

Siedzę dziś sam, a to za sprawą okrutnego zrządzenia losu, co tutaj znaczy, że nic nie potoczyło się tak, jak sobie wyobrażałem. Kiedyś byłem człowiekiem zadowolonym z życia, miałem ładny dom, udaną karierę zawodową, ukochaną osobę i niezawodną maszynę do pisania. Niestety, wszystko to zostało mi odebrane, a dziś jedyną

pamiątką owych szczęsnych dni jest tatuaż nad kostką mojej lewej nogi. Gdy teraz siedzę w ciasnym pokoiku i wielkim ołówkiem piszę to do was drukowanymi literami, czuję, że całe moje życie było niczym więcej jak marną sztuką teatralną, wystawioną dla czyjejś rozrywki, a autor mojego okrutnego zrządzenia losu siedzi sobie gdzieś wysoko i zaśmiewa się z własnego dzieła.

Nie jest to w żadnych okolicznościach miłe uczucie, ale podwójnie niemiłe staje się ono wówczas, gdy okrutne zrządzenie losu dopadnie człowieka na autentycznej scenie, i kiedy rzeczywiście słychać gromki śmiech z góry – jak to się stało w przypadku sierot Baudelaire na scenie teatru operacyjnego Szpitala Schnitzel. Ledwie Hal skończył oskarżać ich o podpalenie Archiwum, Klaus i Słoneczko usłyszeli znajomy śmiech dobiegający z głośnika interkomu. Słyszeli już ten śmiech dwa razy: raz, kiedy Matateusz złapał trojaczki Bagienne, a drugi raz, kiedy ich samych zamknął w Luksusowej Celi. Był to triumfalny rechot kogoś, kto właśnie opowiedział towarzystwu świetny dowcip. Ponieważ tym razem Matateusz śmiał się przez interkom, jego głos brzmiał jak przez aluminiową folię, ale i to wystarczyło, aby wyrwać Wioletkę z odurzenia. Wymamrotała coś i poruszyła rękami.

– O kurcze! – zaklął Matateusz, zorientowawszy się, że interkom jest włączony. – Uwaga, mówi do was Matateusz, Szef Kadr Szpitala Schnitzel. Nadaję ważny komunikat. W Szpitalu Schnitzel szaleje pożar. Pożar ten, wzniecony przez morderców Baudelaire, rozprzestrzenił się już na Oddział Bolących Gardeł, Oddział Skaleczonych Palców u Nogi i Oddział Przypadkowych Połknięć Przedmiotów Niepożądanych. Sieroty wciąż grasują na wolności, należy więc uczynić wszystko, aby je ująć. Po ujęciu niebezpiecznych morderców-podpalaczy kto chce, może się zająć ratowaniem pacjentów uwięzionych w płonących pomieszczeniach. Koniec komunikatu.

– Już widzę te nagłówki! – entuzjazmowała się reporterka „Dziennika Punctilio". – MORDERCY BAUDELAIRE PUSZCZAJĄ Z DYMEM

DOKUMENTACJĘ. Czytelnicy „Dziennika Punctilio" siądą z wrażenia!

– Niech ktoś zawiadomi Matateusza, że złapaliśmy dzieciaki! – krzyknęła radośnie jedna z pielęgniarek. – Doigraliście się, smarkacze! Mordercy, podpalacze, przebierańcy!

– To nieprawda! – zaprotestował Klaus, ale rozejrzawszy się po sali, zrozumiał, że chyba nikt mu nie wierzy. Spojrzał na fałszywy pęk kluczy w garści archiwisty, sporządzony przez sieroty Baudelaire w celu przedostania się do Archiwum. Spojrzał na biały kitel, w którym próbował udawać lekarza. A także na zardzewiałe ostrze noża wzniesionego jego własną ręką nad głową siostry. Przypomniał sobie, jak podczas pobytu u Wujcia Monty'ego razem z siostrami dostarczył panu Poe dowody zdradzieckiego planu Olafa. Drobne to były dowody, a jednak wystarczyły, aby na ich podstawie Olaf został aresztowany. W tej chwili Klaus obawiał się, że to samo może spotkać sieroty Baudelaire – i to na podstawie dowodów znacznie poważniejszych.

– Okrążyć ich! – zarządził hakoręki, wskazując dzieci szponem protezy w gumowej rękawicy. – Tylko ostrożnie! Ten mól książkowy ma nóż!

Wspólnicy Olafa rozproszyli się kołem, i jęli z wolna zbliżać się ku sierotom ze wszystkich stron. Słoneczko pisnęło z przerażenia, a wtedy Klaus podniósł je z ziemi i posadził na szpitalnym wózku.

– Aresztować Baudelaire'ów! – krzyknął jakiś doktor.

– Właśnie to robimy, idioto! – wściekła się Esmeralda. Zaraz jednak odwróciła się do Baudelaire'ów i mrugnęła do nich porozumiewawczo sponad maski chirurgicznej. – Złapiemy tylko jedno z was – powiedziała cicho, żeby publiczność jej nie usłyszała. Dwoma długimi pazurami sięgnęła w dół, ku sztyletom obcasów. – To supermodne obuwie służy mi nie tylko do podkreślania własncj urody i kobiecości – wyjaśniła, zdejmując buty i demonstrując je sierotom. – Te oto sztylety nadają się także wybornie do podrzynania gardeł dzieciom. Dwoje smarkaczy Baudelaire zginie w próbie ucieczki przed sprawiedliwością, a trzecie pozostanie przy życiu, żeby nam mogło przekazać swój majątek.

– Nigdy nie położysz łapy na naszym majątku – rzekł śmiało Klaus – ani swojego buta na naszych gardłach!

– To się jeszcze okaże – zauważyła filozoficznie Esmeralda i zamachnęła się na Klausa szpilką jak mieczem. Klaus zrobił unik i usłyszał nad sobą świst ostrza śmiercionośnej broni.

– Ona chce nas zabić! – krzyknął do widowni. – Czy tego nie widzicie? To są prawdziwi mordercy!

– Nikt ci nie uwierzy, sieroto – skrzywiła się pogardliwie Esmeralda i prawym butem zamachnęła się na Słoneczko, które w ostatniej chwili uchyliło główkę.

– Nie wierzę wam! – krzyknął Hal. – Wzrok mam, co prawda, już nie ten, ale nawet ja widzę wasze fałszywe białe kitle!

– Ja też nie wierzę! – pisnęła jakaś pielęgniarka. – Widzę przecież ten zardzewiały nóż!

Esmeralda zamachnęła się obydwoma obcasami, lecz szpilki tylko zahaczyły o siebie w powietrzu, nie dotykając dzieci.

– Poddajcie się! – syknęła. – Mamy was w potrzasku, tak jak wy już tyle razy mieliście w potrzasku Olafa.

– Teraz widzicie, co spotyka łotrów! – wrzasnął łysy, krztusząc się ze śmiechu. – Obława, szybciej! Matateusz kazał powiedzieć, że kto pierwszy dorwie przestępców, ten wybiera dzisiaj miejsce na nasz wspólny bankiet!

– Naprawdę? – zdziwił się hakoręki. – Ja mam chęć na pizzę.

To rzekłszy, zamachnął się na Klausa, ten zaś w odruchu obronnym padł plecami na wózek i wytoczył go poza zasięg prześladowcy.

– Ja bym wolała coś chińskiego – powiedziała jedna z białolicych. – Chodźmy do tej knajpy, gdzie świętowaliśmy porwanie Bagiennych.

– Nie, ja chcę iść do Café Salmonella – sprzeciwiła się Esmeralda, rozdzielając zakleszczone szpilki.

Klaus po raz drugi pchnął wózek, tym razem w inną stronę domykającego się kręgu obławy. Trzymał przed sobą na postrach zardzewiały nóż, chociaż nie sądził, że byłby w stanie użyć go przeciw człowiekowi, nawet tak podłemu jak ci, którzy go otaczali. Gdyby to Hrabia Olaf był na jego miejscu, nie zawahałby się ani przez chwilę przed użyciem noża, ale Klaus, wbrew temu, co powiedział o nim łysy, nie czuł się łotrem. Czuł się za to gotowy do ucieczki, więc pchnął wózek po raz trzeci, bo już dobrze wiedział, co robić.

– Cofnąć się! – krzyknął. – Ten noż jest bardzo ostry!

– Wszystkich nie wyrżniesz – zauważył hakoręki. – Szczerze mówiąc, wątpię, czy miałbyś odwagę zarżnąć kogokolwiek.

– Do zarzynania nie trzeba odwagi – odparł Klaus. – Jedynie braku skrupułów moralnych.

Na słowa Klausa o „braku skrupułów moralnych", czyli „okrutnym samolubstwie połączonym z zamiłowaniem do przemocy", wspólnicy Olafa wybuchnęli gromkim śmiechem.

– Piękne słówka nie ocalą ci życia, kurdupelku! – prychnęła Esmeralda.

– To prawda – przyznał Klaus. – Ocali mnie za to wózek operacyjny służący do transportowania pacjentów.

Bez dalszych zapowiedzi Klaus cisnął zardzewiały nóż na ziemię, a zaskoczeni tym wspólnicy Olafa cofnęli się o krok. W ten sposób krąg obławy pozbawionej skrupułów moralnych nieco się rozrzedził, tylko na chwilę, ale ta chwila wystarczyła Baudelaire'om. Klaus wskoczył na wózek, ten zaś potoczył się gładko ku metalowym drzwiom wiodącym na korytarz. Okrzyk zgrozy przetoczył się falą przez widownię, gdy sieroty Baudelaire przemknęły wartko między wspólnikami Olafa.

– Łapać ich! – wrzasnął hakoręki. – Uciekają nam!

– Mnie nie uciekną! – zaperzył się Hal i ucapił rozpędzony wózek tuż przed drzwiami. Wózek zwolnił, a Słoneczko znalazło się na chwilę oko w oko ze starym archiwistą. Motylki w żołądku

Słoneczka zatrzepotały gwałtownie pod piorunującym wzrokiem zza maciupeńkich szkiełek okularów. W przeciwieństwie do wspólników Olafa Hal nie był przecież złym człowiekiem. Kochał tylko swoje Archiwum i chciał złapać sprawców jego podpalenia. Słoneczku zrobiło się przykro, że staruszek uważa je za groźną kryminalistkę, zamiast – co było zgodne z prawdą – za niemowlę dotknięte nieszczęściem. Wiedziało jednak, że nie ma czasu na dłuższe wyjaśnienia – wystarczyło go ledwo na pojedyncze słowo, i to własnie słowo wypowiedziało Słoneczko do Hala:

– Psieprasa – uśmiechnęło się do staruszka. Potem leciutko otworzyło buzię i ugryzło Hala w rękę, najsłabiej jak umiało, żeby go zmusić do puszczenia wózka, a nie skaleczyć.

– Au! – wrzasnął Hal. – Ten dzieciak ugryzł mnie w rękę!

– Krwawi pan? – zainteresowała się fachowo pielęgniarka.

– Nie – odpowiedział Hal – ale puściłem wózek! Już odjeżdża!

Baudelaire'owie wyjechali za drzwi sali operacyjnej: Wioletka właśnie otwierała oczy, Klaus sterował wózkiem, a Słoneczko trzymało się kurczowo, żeby nie spaść. Tak przemknęli przez cały Oddział Chirurgiczny, roztrącając zdumionych lekarzy i innych pracowników służb medycznych.

– Uwaga uwaga! – zagrzmiał z interkomu głos Matateusza. – Mówi do was Matateusz, Szef Kadr Szpitala Schnitzel! Baudelaire'owie, mordercy i podpalacze, uciekają wózkiem operacyjnym! Trzeba ich natychmiast złapać! Komunikat drugi. Pożar szpitala rozprzestrzenia się! Kto chce, może się ewakuować!

– Noric! – ponagliło Klausa Słoneczko.

– Szybciej już się nie da! – odkrzyknął Klaus, spuszczając nogi z wózka i odpychając się co pewien czas o ziemię, aby przyspieszyć jazdę. – Wioletko, obudź się, błagam! Potrzebujemy cię jako siły napędowej!

– Sta... aram się – wymamrotała Wioletka, tocząc wkoło błędnym wzrokiem. Narkoza zamazywała jej wszystko przed oczami i utrudniała mowę, nie mówiąc już o poruszaniu się.

– Dźwi! – pisnęło Słoneczko, wskazując wyjście z Oddziału Chirurgicznego.

Klaus skierował tam wózek i po chwili śmignął obok tłustego wspólnika Olafa, tego, po którym trudno było poznać, czy to mężczyzna, czy kobieta. Olbrzym z rykiem rzucił się za zbiegami, dudniąc ciężkimi krokami po całym korytarzu, ale Baudelaire'owie już zbliżali się do niewielkiej grupki Wolontariuszy Zwalczania Schorzeń. Brodacz, który właśnie grał na gitarze znajomą pieśń, z opóźnieniem zorientował się, że wózek już przemknął obok.

– To chyba ci mordercy, o których wspominał Matateusz! – zreflektował się. – Za mną, pomóżmy strażnikowi w ich ujęciu!

– Z miłą chęcią – powiedział któryś z wolontariuszy. – Trochę mnie już zmęczyło śpiewanie tej piosenki, jeśli mam być szczery.

Klaus skręcał właśnie wózkiem za róg korytarza, gdy wolontariusze dołączyli do pościgu.

– Obudź się! – błagał Wioletkę, która wciąż rozglądała się w oszołomieniu. – Proszę cię, Wioletko!

– Schody! – ostrzegło Słoneczko, wskazując schody.

Klaus skręcił w tamtą stronę – i zaczął się brawurowy, wyboisty zjazd po schodach. Dzieciom przypominało się zjeżdżanie po poręczy w wieżowcu przy Alei Ciemnej 667, i zderzenie z automobilem pana Poe pod koniec pobytu u Wujcia Monty'ego. Na zakręcie Klaus zahamował butem o ścianę i rzucił z bliska okiem na jeden z mylących planów budynku szpitala.

– Próbuję stwierdzić, czy powinniśmy forsować te drzwi – wskazał wejście na oddział z tabliczką ODDZIAŁ UCIĄŻLIWYCH WYSYPEK – czy też raczej zjeżdżać dalej schodami.

– Kicha! – zaalarmowało Słoneczko, komunikując: „Schodami się nie da, patrzcie!".

Klaus spojrzał, a nawet Wioletce udało się obrócić oczy w dół, w kierunku wskazanym przez Słoneczko. Na dole, już pod najbliższym podestem schodów, pałał pomarańczowy blask, jakby słońce wstawało ze szpitalnych piwnic, gnając przed sobą ciemne smugi dymu, które krętym ruchem pełzły po schodach jak chciwe macki upiornego stwora. Sieroty Baudelaire znały ten widok z własnych snów, które prześladowały je od feralnego dnia na plaży – dnia rozpoczęcia wszystkich ich kłopotów. Przez moment nie były zdolne zrobić nic, tylko patrzyły jak zaklęte w pomarańczową poświatę i macki dymu, wspominając to wszystko, co straciły przez taki właśnie widok.

– Pożar – szepnęła omdlewającym głosem Wioletka.

– Właśnie – potwierdził Klaus. – Przenosi się na górę. Musimy zawrócić i uciekać wyższym piętrem.

Z wyższego piętra usłyszeli znajomy ryk olbrzyma i odpowiedź brodatego wolontariusza:

– Pomożemy w pościgu. Niech nas pani prowadzi – a może pan? Trudno poznać.

– Nie góra – powiedziało Słoneczko.

– Tak, wiem – odparł Klaus. – Nie możemy ani wejść wyżej, ani zjechać niżej. Trzeba uciekać przez Oddział Uciążliwych Wysypek.

Podjąwszy tę pospieszną decyzję, Klaus zawrócił wózek i wtoczył go na oddział, dokładnie w chwili, gdy przez interkom zabrzmiał głos Matateusza.

– Mówi do was Matateusz, Szef Kadr Szpitala Schnitzel – buczał szybko głos. – Wszyscy asystenci Doktora Flacutono proszeni są o poszukiwanie dzieci! Reszta personelu zbierze się przed budynkiem szpitala! Albo złapiemy morderców, albo usmażą się w środku na skwarki!

Wjeżdżając na Oddział Uciążliwych Wysypek, sieroty Baudelaire zrozumiały, że Matateusz ma rację. Wózek turlał się korytarzem prosto ku pomarańczowej poświacie, widocznej w drugim końcu. Zza drzwi dobiegł Baudelaire'ów kolejny ryk tłustego wspólnika Olafa, który dźwigał swe cielsko w dół po schodach. Byli uwięzieni pośrodku korytarza, między śmiercią w płomieniach a łapskami Olafa.

Klaus spuścił nogę i zahamował wózek.

– Schowajmy się! – zawołał, zeskakując na podłogę. – Ta jazda staje się zbyt niebezpieczna.

– Gdzie? – spytało Słoneczko, gdy Klaus zsadzał je z wózka.

– Gdzieś w pobliżu – odparł Klaus, chwytając za ramię Wioletkę. – Narkoza jeszcze działa, więc Wioletka daleko nie zajdzie.

– Spró... óbuję – wybełkotała Wioletka i stanęła na miękkich nogach, oparta o ramię brata.

Dzieci rozejrzały się dokoła i na najbliższych drzwiach dostrzegły tabliczkę z napisem MAGAZYN.

– Tutam? – spytało Słoneczko.

– Chyba tak – odparł z powątpiewaniem Klaus, otwierając drzwi jedną ręką, a drugą podpierając chwiejącą się Wioletkę. – Nie wiem, co wskóramy w magazynie, ale przynajmniej ukryjemy się na chwilę.

Klaus i Słoneczko przeprowadzili siostrę przez próg. Zamknęli za sobą drzwi. Pomijając okienko w rogu pomieszczenia, magazyn wyglądał tak samo jak ten, w którym schowali się Klaus i Słoneczko, aby przestudiować listę pacjentów. Była to ciasna klitka z jedną słabą, migotliwą żarówką u sufitu, rzędem białych fartuchów na kołkach, zardzewiałym zlewem, zapasem wielkich puszek zupy alfabetowej i małych pudełek gumek aptekarskich. Tym razem jednak, patrząc na te przedmioty, Klaus i Słoneczko wcale nie wyglądali na kandydatów do rozszyfrowywania anagramów, a tym bardziej do udawania personelu medycznego. Z ubogich rekwizytów przenieśli wzrok na starszą siostrę. Ku ich uldze Wioletka była już mniej blada i wzrok miała przytomniejszy, co było bardzo dobrym znakiem. I całe szczęście, gdyż rzeczy zgromadzone w magazynie z każdą chwilą coraz mniej przypominały szpitalne zapasy, a coraz bardziej tworzywo do wynalazku.

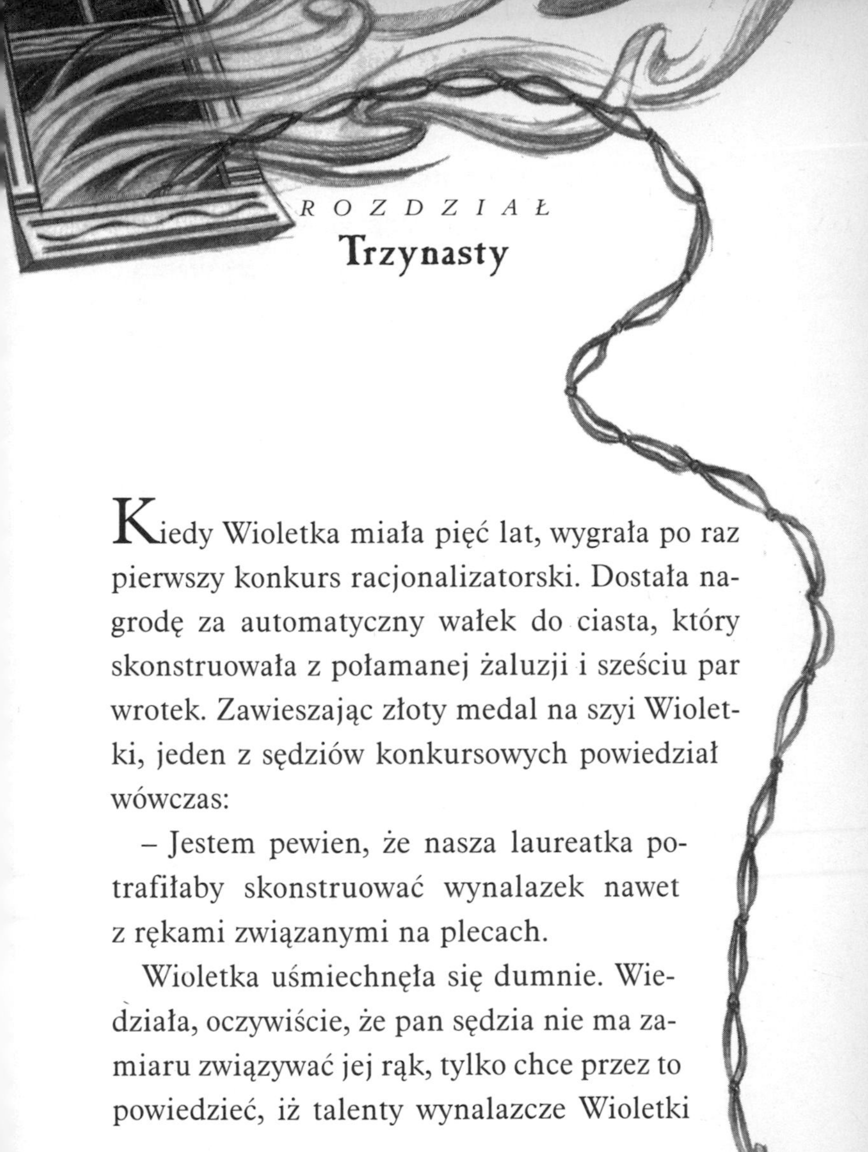

R O Z D Z I A Ł

# Trzynasty

Kiedy Wioletka miała pięć lat, wygrała po raz pierwszy konkurs racjonalizatorski. Dostała nagrodę za automatyczny wałek do ciasta, który skonstruowała z połamanej żaluzji i sześciu par wrotek. Zawieszając złoty medal na szyi Wioletki, jeden z sędziów konkursowych powiedział wówczas:

– Jestem pewien, że nasza laureatka potrafiłaby skonstruować wynalazek nawet z rękami związanymi na plecach.

Wioletka uśmiechnęła się dumnie. Wiedziała, oczywiście, że pan sędzia nie ma zamiaru związywać jej rąk, tylko chce przez to powiedzieć, iż talenty wynalazcze Wioletki są tak wielkie, że potrafi ona działać twórczo nawet w wysoce niesprzyjających warunkach, innymi słowy: „kiedy coś jej bardzo przeszkadza".

Od tamtego czasu najstarsza z Baudelaire'ów dowiodła słuszności słów sędziego dziesiątki razy, konstruując w niesprzyjających warunkach najrozmaitsze urządzenia, od wytrycha po lutownicę, w dodatku bez pomocy żadnych narzędzi. Lecz nigdy jeszcze nie pracowała w warunkach tak niesprzyjających jak teraz, pod działaniem narkozy, gdy przedmioty rozmywały jej się w oczach, a głosy rodzeństwa z trudem docierały do uszu.

– Wioletko – rzekł dobitnie Klaus. – Wiem, że wpływ znieczulenia jeszcze nie minął, ale musisz koniecznie coś wynaleźć.

– Tak – odparła słabym głosem Wioletka, przecierając oczy rękami. – Ja to... wiem.

– Pomożemy ci, jak tylko umiemy – obiecał Klaus. – Mów nam tylko, co robić. Szpital stoi w ogniu i musimy się stąd jak najprędzej wydostać.

– Ralam – dodało Słoneczko, komunikując: „Zwłaszcza że wspólnicy Olafa są na naszym tropie”.

– Okno... otwórz – poprosiła z trudem Wioletka, wskazując okienko w rogu.

Klaus oparł ją o ścianę, żeby nie upadła, a sam podszedł do okna. Otworzył je i wyjrzał na zewnątrz.

– Zdaje się, że jesteśmy na trzecim piętrze – powiedział. – Albo na czwartym. Dym zasłania widok, więc mogę się mylić. Nie jest to bardzo wysoko, ale jednak za wysoko, żeby skakać.

– Wspin? – spytało Słoneczko.

– Tuż pod nami widzę głośnik interkomu – relacjonował Klaus. – Pewnie można by się go przytrzymać i spuścić po murze w krzaki na dole, tylko że musielibyśmy tego dokonać na oczach tłumu. Lekarze i pielęgniarki ewakuują chorych, widzę też Hala, reporterkę „Dziennika Punctilio” i...

Przerwał mu stłumiony śpiew z zewnątrz szpitala:

*My Wolontariusze Zwalczania Schorzeń*
*Weselim się zawsze i wszędzie*
*A kto o nas powie, że smutki nam w głowie*
*Ten w wielkim będzie błędzie.*

– I Wolontariuszy Zwalczania Schorzeń – dokończył Klaus. – Czekają przed szpitalem, tak jak im kazał Matateusz. Umiesz wymyślić coś, na czym można by nad nimi przelecieć?

Wioletka zamyśliła się głęboko, a wolontariusze ciągnęli tymczasem swoją pieśń:

*My chorych co dzień odwiedzamy*
*I troski ich precz odganiamy*
*Czy krew z nosa kapie, czy katar kto złapie*
*Fachowo my go rozśmieszamy.*

– Wioletko? – zaniepokoił się Klaus. – Ty nie zasypiasz na nowo, prawda?

– Nie – odparła Wioletka. – Ja tylko... myślę. Musimy... odwrócić... uwagę tłumu... zanim... wyjdziemy przez... okno.

Zza drzwi magazynu dobiegł stłumiony ryk.

– Kesalf – zawyrokowało Słoneczko, komunikując: „To ten wspólnik Olafa. Chyba wszedł właśnie na Oddział Uciążliwych Wysypek. Musimy wiać".

– Klaus – powiedziała Wioletka i otworzyła oczy. – Pootwieraj... pudełka z gumkami. Połącz gumki... w sznur.

*I tralala, i hopsasa!*
*Bądź wesół i zdrów jak konik!*
*I hihihi, i hahaha!*
*Dla ciebie serduszko-balonik!*

Klaus wyjrzał jeszcze raz przez okno: wolontariusze wręczali balony pacjentom ewakuowanym ze szpitala.

– Ale czym mamy odwrócić uwagę tłumu? – spytał siostrę.

– Ja... nie wiem – przyznała bezradnie Wioletka, spuszczając wzrok. – Ja mam... problemy z kon... centracją.

– Help! – pisnęło Słoneczko.

– Daj spokój, Słoneczko. Nie ma sensu wołać pomocy, nikt nas stąd nie usłyszy – powiedział Klaus.

– Help! – powtórzyło z uporem Słoneczko, zdejmując biały kitel.

Otworzyło szeroko buzię, wbiło zęby w materiał i oderwało z fartucha wąski pasek płótna. Podało go Wioletce.

– Stonszka – powiedziało.

Wioletka podziękowała siostrzyczce słabym uśmiechem. Niepewnymi palcami związała włosy paskiem materiału oderwanym ze szpitalnego fartucha. Na nowo przymknęła oczy i nagle kiwnęła głową.

– Już wiem... to może głupie – powiedziała – ale chyba... rzeczywiście... pomogło, Słoneczko. Klaus... bierz się za gumki. Słoneczko... możesz... otworzyć jedną... puszkę zupy?

– Trin! – powiedziało Słoneczko, komunikując: „Oczywiście, jedną już przecież otworzyłam przy rozszyfrowywaniu anagramów".

– Dobrze – ciągnęła Wioletka. Ze wstążką, nawet fałszywą, jej głos od razu nabrał mocy. – Potrzebna... pusta puszka... jak najszybciej.

*Chodzimy do chorych w szpitalach*
*I radość wzniecamy na salach*
*Choć pacjent na stół i rżną go na pół*
*Nasz śmiech dobry nastrój ocala!*

*Śpiewamy wesoło od rana do nocy*
*A potem od nocy do rana*
*Śpiewamy dziewczynkom, co struły się szynką*
*I chłopcom, co stłukli kolana.*

Ekipa WZS nie ustawała w pieśni, a Baudelaire'owie w przygotowaniach do ucieczki. Klaus otworzył pudełko gumek i zaczął zaplatać je w łańcuch. Słoneczko już obgryzało brzeg puszki z zupą. A Wioletka podeszła do umywalki i ochlapała sobie buzię zimną wodą, żeby prędzej odzyskać pełną przytomność. Zanim wolontariusze doszli do refrenu –

*I tralala, i hopsasa!*
*Bądź wesół i zdrów jak konik!*
*I hihihi, i hahaha!*
*Dla ciebie serduszko-balonik!*

– Klaus zdążył upleść długi gumowy sznur, który wił mu się teraz u stóp jak wąż. Słoneczko zaś zdążyło odgryźć pokrywę puszki i już wylewało zawartość konserwy do zlewu. Wioletka tymczasem obserwowała w napięciu drzwi magazynu, spod których sączyła się cieniuteńka, na razie, strużka dymu.

– Ogień dotarł do korytarza – powiedziała. W tej samej chwili z korytarza zabrzmiał tubalny ryk. – Siepacz Olafa tak samo.

– Sznur gotowy – oznajmił Klaus. – Tylko jak mamy odwrócić uwagę tłumu za pomocą pustej puszki po zupie?

– To nie jest pusta puszka po zupie – powiedziała Wioletka. – Już nie. Teraz to jest udawany interkom. Słoneczko, wygryź dziurę w dnie puszki.

– Pietrisykamolawiaderechtomeksja – odparło Słoneczko, ale posłusznie spełniło polecenie Wioletki i wbiło najostrzejszy ząb w dno puszki.

– Teraz oboje potrzymajcie tę puszkę przy oknie – komenderowała dalej Wioletka. – Tylko tak, żeby nikt z dołu nie widział. Chodzi o to, żeby myśleli, że mówię przez interkom.

Klaus i Słoneczko podnieśli pustą puszkę po zupie na wysokość parapetu, a Wioletka schyliła się i wpakowała do puszki głowę, jak w średniowieczny hełm. Nabrała głęboko tchu, aby dodać sobie odwagi, i przemówiła. Z wnętrza puszki jej głos brzmiał zgrzytliwie i niewyraźnie, jak przez aluminiową folię – czyli właśnie tak, jak sobie tego życzyła Wioletka.

– Uwaga uwaga! – obwieściła, udaremniając wolontariuszom odśpiewanie zwrotki o chorych na świnkę. – Mówi do was Babs. Matateusz zrezygnował z posady z przyczyn osobistych, więc stanowisko Szefa Kadr Szpitala Schnitzel z powrotem obejmuję ja. Poszukiwanych morderców i podpalaczy zauważono w niedokończonym skrzydle szpitala. Apelujemy do wszystkich o bezzwłoczne włączenie się do pościgu. Proszę się udać do niewykończonego skrzydła. Koniec komunikatu.

Wioletka wyciągnęła głowę z puszki i spojrzała na rodzeństwo.

– Jak myślicie? Podziała?

Słoneczko już chciało coś odpowiedzieć, ale wcześniej odezwał się brodaty wolontariusz.

– Słyszeliście? – dobiegł Baudelaire'ów jego głos z dołu. – Przestępcy są w niedokończonym skrzydle szpitala! Za mną, szybciej!

– Może część z nas powinna na wszelki wypadek zostać tu, przed wejściem – odezwał się głos archiwisty.

Wioletka znów wetknęła głowę do puszki.

– Uwaga uwaga! – ogłosiła. – Mówi do was Babs, Szefowa Kadr Szpitala Schnitzel. Proszę usunąć się sprzed głównego wejścia do szpitala. Pozostanie tam grozi śmiercią lub kalectwem. Proszę natychmiast przejść do niewykończonego skrzydła. Koniec komunikatu.

– Już widzę te nagłówki – rozmarzyła się reporterka „Dziennika Punctilio". – MORDERCY POJMANI W NIEDOKOŃCZONYM SKRZYDLE SZPITALA PRZEZ WZOROWO ZORGANIZOWANY PERSONEL FACHOWCÓW MEDYCZNYCH. Czytelnicy „Dziennika Punctilio" oszaleją z radości.

Tłum, wznosząc radosne okrzyki, oddalił się pomału sprzed głównego wejścia.

– Podziałało – odetchnęła Wioletka. – Nabrali się. Umiemy już nabierać ludzi nie gorzej niż Olaf.

– Przebieramy się też nie gorzej od niego – dodał Klaus.

– Anagram – dorzuciło Słoneczko.

– Kłamać też już umiemy – rzekła bez satysfakcji Wioletka, myśląc o Halu, o sklepikarzu ze sklepu wielobranżowego Ostatnia Szansa, i o Wolontariuszach Zwalczania Schorzeń. – Może rzeczywiście powoli stajemy się łotrami.

– Nie mów tak – zaprotestował Klaus. – Nie jesteśmy łotrami. Jesteśmy dobrzy. Oszukujemy tylko dla ratowania własnego życia.

– Olaf też oszukuje dla ratowania swojego życia – odparła z goryczą Wioletka.

– Inne – powiedziało Słoneczko.

– Może i jest to inne oszukiwanie, może masz rację, ale...

Wioletce przerwał wściekły ryk dobiegający zza drzwi magazynu. Tłusty wspólnik Olafa dotarł już do nich i majstrował przy klamce grubymi paluchami.

– Wrócimy do tego później – przerwał dyskusję Klaus. – Teraz musimy się stąd wydostać, i to już!

– Nie będziemy się spuszczać po gumowym sznurze, będziemy skakać – zdecydowała kategorycznie Wioletka.

– Hopsa? – upewniło się z wahaniem Słoneczko.

– Mnóstwo ludzi skacze z ogromnych wysokości na gumowej linie dla zabawy – powiedziała Wioletka – więc dlaczego my nie mielibyśmy tego zrobić dla ucieczki? Przymocuję koniec sznura do kranu Diabelskim Węzłem i zeskoczymy po kolei. Gumowa lina powinna poderwać nas z powrotem przed dotknięciem ziemi, za każdym razem trochę niżej, aż wreszcie staniemy na dole. Wtedy ten, kto skakał, podrzuci koniec liny do następnego.

– Brzmi ryzykownie – ocenił Klaus. – Nie jestem pewien, czy sznur ma dostateczną długość.

– Ryzyko istnieje – przyznała Wioletka – ale większym ryzykiem jest pożar.

Wspólnik Olafa wściekle łomotał do drzwi. Wzdłuż zamka zarysowało się już podłużne pęknięcie. Szparą pod drzwiami sączył się dym, tak czarny, jakby tłuścioch wlewał tamtędy do środka czarny atrament, chcąc zatopić magazyn.

Wioletka sprawnie zamocowała koniec sznura na kranie i mocnym szarpnięciem upewniła się, że trzyma mocno.

– Ja skaczę pierwsza – powiedziała. – Wymyśliłam to urządzenie, więc powinnam je pierwsza sprawdzić.

– Nie zgadzam się – zaprotestował Klaus. – Tylko nie po kolei.

– Kupą! – zawtórowało mu Słoneczko.

– Jeżeli zeskoczymy razem – ostrzegła Wioletka – lina może nie wytrzymać.

– Nie będziemy nikogo zostawiać z tyłu – upierał się Klaus. – Tym razem nie. Albo wszyscy, albo nikt.

– Jeżeli nikt z nas nie ucieknie, to już nikt z Baudelaire'ów nie ocaleje. Olaf zwycięży – perswadowała Wioletka, bliska płaczu.

Klaus sięgnął do kieszeni po kartkę. Rozłożył ją. Była to strona trzynasta akt Snicketa. Klaus wskazał palcem fotografię rodziców i odczytał umieszczony nad nią tekst:

– „Na podstawie dowodów opisanych szczegółowo na str. 9, eksperci przychylają się do opinii, że z pożaru przypuszczalnie ocalała jedna osoba, lecz miejsce jej aktualnego pobytu jest nieznane". Musimy ocaleć, żeby poznać prawdę o tym, co się stało, i doprowadzić Olafa przed oblicze sprawiedliwości.

– Dlatego skaczmy na zmianę! – spróbowała raz jeszcze Wioletka. – To daje nam większe szanse ocalenia.

– Nikt nie zostaje z tyłu – powtórzył twardo Klaus. – To nas właśnie różni od Olafa.

Wioletka zamyśliła się na chwilę i skinęła głową.

– Masz rację – powiedziała.

Wspólnik Olafa kopał w drzwi. Szczeliną obok zamka wpadło do środka parę iskier. Baudelaire'owie spojrzeli po sobie i uchwycili się pewnie gumowej liny, każde jedną ręką. Wolne ręce podali sobie nawzajem – i już bez słowa wyskoczyli jak jeden mąż z okna Szpitala Schnitzel.

# STOP.

Jest wiele rzeczy na świecie, których nie wiem. Nie wiem, jak motyl wydostaje się z kokonu, nie niszcząc sobie skrzydeł. Nie wiem, dlaczego ludzie gotują warzywa, skoro pieczone są smaczniejsze. Nie wiem, jak się wyrabia oliwę z oliwek ani dlaczego psy szczekają przed trzęsieniem ziemi, ani dlaczego niektórzy ludzie dobrowolnie wspinają się po górach, gdzie panuje ziąb i trudności w oddychaniu, albo dlaczego niektórzy wolą mieszkać w modnych osiedlach, gdzie kawa jest wodnista i wszystkie domy wyglądają tak samo. Nie wiem, gdzie są w tej chwili sieroty Baudelaire, czy są bezpieczne albo chociaż żywe.

Ale są również rzeczy, które wiem, a do tych rzeczy należy fakt, że okno magazynu Oddziału Uciążliwych Wysypek Szpitala Schnitzel nie znajdowało się na trzecim albo czwartym piętrze, jak zgadywał Klaus. Okno to znajdowało się na drugim piętrze – i dlatego, gdy sieroty Baudelaire skoczyły w zadymione powietrze, uczepione kurczowo gumowej liny, wynalazek Wioletki zadziałał wyśmienicie. Zupełnie jak jojo, dzieci bujały na tle nieba w górę i w dół, muskając stopami krzaki, zasadzone przed wejściem do szpitala. Po kilku takich płynnych skokach osiadły bezpiecznie na ziemi i z wielką ulgą padły sobie w objęcia.

– Udało się! – powiedziała Wioletka. – Ciężko było, ale się przeżyło.

Baudelaire'owie obejrzeli się na szpital i dopiero wtedy pojęli, jak naprawdę było ciężko. Gmach szpitala wyglądał jak ognisty duch: z jego okien buchały płomienie, a z wyrw w ścianach wylewały się oceany dymu. Z brzękiem rozpadały się szyby w oknach, trzeszczały zapadające się podłogi. Dzieciom przyszło nagle na myśl, że i ich dom wyglądał tak w chwili pożaru. Odsunęły się z trwogą od budynku i mocno przytulone łykały gęsty dym, przesłaniający teraz szpital.

– Dokąd pójdziemy? – spytał Klaus, przekrzykując ryk pożaru. – Ci ludzie lada chwila zorientują się, że nas nie ma w niedokończonym skrzydle szpitala, a wtedy wrócą tutaj!

– Gazu! – pisnęło Słoneczko.

– Kiedy nie widać żadnej drogi! – odkrzyknęła Wioletka. – Wszędzie pełno dymu!

– Na ziemię! – zakomenderował Klaus i pierwszy znalazł się na czworakach. – W *Encyklopedii ucieczek przed pożarem* napisane jest, że im bliżej ziemi, tym więcej tlenu. Musimy się stąd jak najszybciej odczołgać i schować.

– Gdzie się schowamy na tym pustkowiu? – spytała bezradnie Wioletka, czołgając się za bratem. – W promieniu wielu mil jest tylko ten szpital, a on płonie, i zaraz spali się do cna!

– Nie wiem, gdzie się schowamy – odparł Klaus i zakrztusił się dymem – ale tym powietrzem oddychać się długo nie da!

– Szybciej! – usłyszeli nagle głos spośród kłębów dymu. – Tędy!

Ze smolistych tumanów wyłonił się podłużny, czarny kształt, w którym dzieci rozpoznały automobil. Zatrzymał się on przed frontem szpitala. Automobil to, oczywiście, niezłe schronienie, jednak sieroty Baudelaire przywarły do ziemi, nie śmiąc podczołgać się do niego ani o milimetr.

– No, szybciej, mówię! – ponaglał kogoś głos Olafa. – Szybciej, bo cię zostawię!

– Już, już, kochanie! – napłynęła zza pleców dzieci odpowiedź Esmeraldy Szpetnej. – Lucafont i Flacutono są ze mną, a panie idą dalej. Kazałam im pozbierać wszystkie ocalałe kitle, na wypadek gdybyśmy się mieli znów przebierać.

– Przytomna dziewczyna – pochwalił Olaf. – Widzisz samochód, czy dym ci zasłania?

– Widzę, kochany – zagruchała słodko Esmeralda, znacznie już bliżej dzieci. Baudelaire'owie usłyszeli wyraźnie stukot jej szpilek, zmierzających w stronę automobilu. – Otwórz bagażnik, kochanie, to wrzucimy do niego kostiumy.

– Ależ ty nudzisz – stęknął Olaf, ale wysiadł z samochodu i skierował się do bagażnika.

– Olaf, zaczekaj! – krzyknął łysy.

– Idioto! – zbeształ go Olaf. – Ile razy ci mówiłem, że masz do mnie mówić Matateusz, dopóki nie opuścimy terenu szpitala. Szybciej, wsiadać. Akt Snicketa nie było w Archiwum, ale chyba wiem, gdzie możemy je znaleźć. Zlikwiduje się te głupie trzynaście stron i będzie święty spokój.

– Pod warunkiem, że zlikwiduje się także Baudelaire'ów – uściśliła Esmeralda.

– Już byliby zlikwidowani, gdybyście, głupki, nie sknocili mojego planu! – prychnął Olaf. – Ale to nic. Teraz najważniejsze to zmyć się stąd, zanim przyjedzie policja.

– Chwilę! Gruby jest jeszcze na Oddziale Wysypkowym, szuka smarkaczy! – przypomniał sobie łysy, otwierając drzwiczki automobilu, co Baudelaire'owie dość wyraźnie słyszeli.

Na to odezwał się hakoręki, którego osobliwą sylwetkę dostrzegły dzieci w kłębach dymu, zanim i ten zniknął w głębi samochodu, w ślad za swoim łysym kompanem.

– Oddział Uciążliwych Wysypek spłonął doszczętnie. Mam nadzieję, że gruby zdążył zwiać.

– Nie będziemy tracić czasu, żeby sprawdzić, czy ten idiota żyje, czy się sfajczył – warknął Olaf. – Panie kończą ładować kostiumy do bagażnika i odjeżdżamy. Podpalanie to miłe zajęcie, ale czeka nas teraz pilniejsza sprawa: znalezienie akt, zanim to zrobi Wiadomo Kto.

– WZS! – zachichotała Esmeralda. – Prawdziwe WZS, a nie ci żałośni śpiewacy!

Bagażnik otworzył się ze zgrzytem, a jego klapa podskoczyła. Wyglądała jak sito, cała podziobana – zapewne pociskami z broni ścigającej Olafa policji. Olaf wrócił na miejsce kierowcy i dalej rozkazywał:

– Zjeżdżać mi z przedniego siedzenia, idioci! To miejsce mojej narzeczonej! Reszta siedzi z tyłu, na kupie.

– Tak jest, szefie! – odparł potulnie łysy.

– Niesiemy kostiumy, Matateuszu! – zapiszczała cienko jedna z bladolicych. – Jeszcze sekundkę! Już was doganiamy!

Wioletka przybliżyła głowę do głów rodzeństwa i szepnęła cichutko:

– Musimy się tam dostać.

– Gdzie? – odszepnął Klaus.

– Do bagażnika – padła odpowiedź. – To nasza jedyna szansa na wydostanie się stąd, inaczej albo nas aresztuje policja, albo...

– Kulek! – szepnęło ze zgrozą Słoneczko, komunikując coś w sensie: „Przecież wsiąść do tego bagażnika to to samo, co dać się złapać!".

– Musimy dopaść akta Snicketa, zanim to zrobi Olaf – powiedziała Wioletka. – Inaczej nigdy nie oczyścimy się z zarzutów.

– Ani nie postawimy Olafa przed wymiarem sprawiedliwości – dodał Klaus.

– Ezan – dorzuciło Słoneczko, komunikując: „Ani nie dowiemy się, czy któreś z naszych rodziców rzeczywiście ocalało z pożaru".

– I dlatego nie ma innego wyjścia, jak zakraść się do bagażnika – podsumowała Wioletka.

Głos Olafa niósł się przez dym podstępnie i groźnie jak sam pożar.

– Wsiadać, ale już! Liczę do trzech i ruszam!

Baudelaire'owie złapali się za ręce tak mocno, że aż ich zabolało.

– Pomyślcie, ile już razem przeżyliśmy – powiedziała Wioletka. – Pokonaliśmy niezliczoną liczbę niefortunnych zdarzeń, a nadal jesteśmy sami. Ale jeżeli któreś z naszych rodziców żyje, nasz trud nie pójdzie na marne. Musimy ich odnaleźć, nawet gdyby to było ostatnie zadanie w naszym życiu.

– Raz!

Klaus spojrzał na otwarty bagażnik, który wyglądał jak paszcza czarnej, ziejącej dymem bestii, gotowej połknąć jego i jego siostry.

– Masz rację, Wioletko – powiedział. – W tym dymie i tak długo nie wytrzymamy, podusimy się. Ten bagażnik to nasza jedyna nadzieja.

– Tak! – szepnęło Słoneczko.

– Dwa!

Baudelaire'owie podnieśli się i sprintem pokonali odległość dzielącą ich od bagażnika auta Olafa. W bagażniku było wilgotno i smrodliwie, ale sieroty, nie bacząc na to, wczołgały się w najdalszy zakamarek, żeby nie było ich widać.

– Czekajcie! – wrzasnęła bladolica, a na Baudelaire'ów spadła biała lawina kitli. – Nie zostawiajcie mnie! Duszę się!

– A my? Będzie tu czym oddychać? – spytała Wioletka Klausa ledwo dosłyszalnym szeptem.

– Tak – odszepnął Klaus. – Powietrze dostanie się do środka przez dziury po ostrzale. Nie jest to może wymarzona kryjówka, ale da się wytrzymać.

– Golos – podsumowało Słoneczko, komunikując: „Musi wystarczyć, dopóki się nie trafi coś wygodniejszego".

Klaus i Wioletka kiwnęli głowami.

– Trzy!

Bagażnik zatrzasnął się, zapanowała kompletna ciemność, a kryjówką zaczęło okropnie trząść, bo Olaf uruchomił silnik i ruszył przez płaski i opustoszały teren. Baudelaire'owie nie widzieli, naturalnie, co się dzieje na zewnątrz. W ciemnościach bagażnika nie widzieli nic. Słyszeli tylko przeciągły świst powietrza, dostającego się do środka przez dziury po ostrzale i czuli drżenie własnych ramion, wstrząsanych strachem. Nie była to ich wymarzona kryjówka, o nie, ale tuląc się do siebie wierzyli mimo wszystko, że jakoś da się wytrzymać.

Schronieniem sierot Baudelaire – o ile nadal były sierotami – stał się chwilowo bagażnik auta Hrabiego Olafa, i musiał im wystarczyć, dopóki się nie trafi coś wygodniejszego.

Szanowny Wydawco,

Mam nadzieję, że list ten nie zostanie doszczętnie zniszczony przez dzikie jadowite

których chwilowo się ukrywam.
tysiąc trzysta dziewiętnaście i pół mili (w przeliczeniu na kilometry od restauracji, gdzie świętował Pan swoje ostatnie urodziny.

może następnie wymienić (w najbliższej pralni automat albo sklepie jubilerskim na

z długim wąsem. Przekaże ona Panu pełny maszynopis powieści KRWIOŻERCZY KARNAWAŁ, a także torbę zawier

których w żadnych okolicznościach nie powinien Pan reperować

jedyny

ocalały z Baudel

szkic

młodego wilka i Madame Lulu
albo przynajmniej to co pozostał

pamiętać, jest Pan moją ostatnią nadzieją na to, że historia sierot Baudelaire ujrzy wreszcie światło dzienne.

Z całym należnym szacunkiem

Lemony Snicket

Lemony Snicket